KB185869

초등 야구 가이드

* 본 도서는 『천하무적 어린이 야구왕』의 개정판입니다.

상수리 출판사 상수리

상수리나무는 가뭄이 들수록 더 깊게 뿌리를 내리고
당당하게 서서 더 많은 열매를 맺습니다.
상수리나무는 참나뭇과에 속합니다.
성경에 아브라함이 세 명의 천사를 만나는 곳도 상수리나무 앞이지요.
이런 상수리나무의 강인한 생명력과 특별한 능력을 귀히 여겨
출판사 이름을 '상수리'라고 했습니다.
우리 어린이들에게 상수리나무의 기상과 생명력을 심어 주는
책을 계속 만들어 가겠습니다.

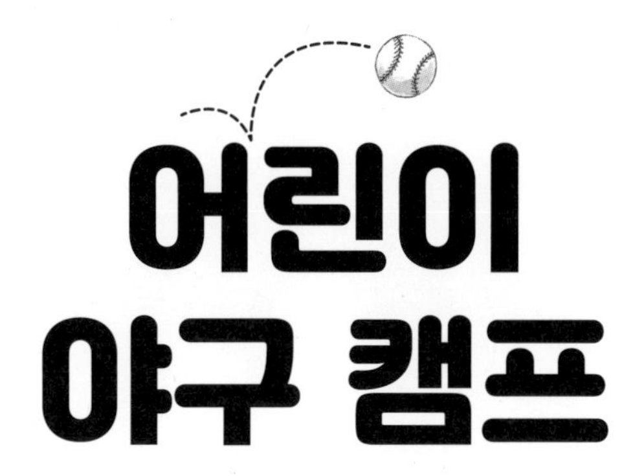

어린이 야구 캠프

초등 야구 가이드

김동훈 글 | **최일룡** 그림

상수리

추천의 글

야구의 매력은 무엇일까? 전설의 홈런왕 베이브 루스는 이런 표현을 썼다.
"야구는 어른들 마음속의 동심을 끌어낸다."

그렇다. 야구를 할 때면 자신도 모르게 모든 것을 다 잊고 그 순간에 집중하게 된다. 또한 사라져 가는 공동체 의식이나 협업의 중요성도 야구라는 스포츠를 통해 우리 아이들이 자연스레 배울 수 있다.

쉽고 재미있게 읽을 수 있는 『어린이 야구 캠프』를 통해 어린 친구들이 야구에 대한 기본 지식을 갖춘다면 이 멋진 야구와 좀 더 친근해지지 않을까 하는 생각이 든다. 이로써 더 많은 어린이 야구팬들이 생기고 어린이 야구왕이 탄생하게 될 것을 기대해 본다.

송재우(MBC Sports+ 야구 해설위원)

야구는 어린이들에게 꿈과 희망을 주는 스포츠다. 좌절과 역경도 있지만 이것을 극복하면 영광과 환희가 기다린다. 흔히들 야구는 '인생의 축소판'이라고 한다. 1회부터 9회까지 오르막과 내리막이 반복되고, 희노애락이 스며든다.

양준혁은 "지금까지 야구를 하면서 한 번도 걸어서 1루까지 간 적이 없다."라고 했다. 그는 늘 1루까지 열심히 달렸던 선수로 기억되고 있다.

또 김성근 감독의 좌우명은 '일구이무(一球二無)' 다. 한번 떠난 공은 다시 오지 않는다는 뜻이다. 즉 공 하나하나에 최선을 다하자는 다짐이다.

무언가에 최선을 다하는 모습은 아름답다.
『어린이 야구 캠프』는 우리 어린이들에게 야구의 즐거움을 알려 주는 동시에 인생의 나침반 역할도 할 것이다.

이영복(2023년 U-18 야구 국가대표팀 감독, 충암고 감독, <최강야구> 출연)

목차

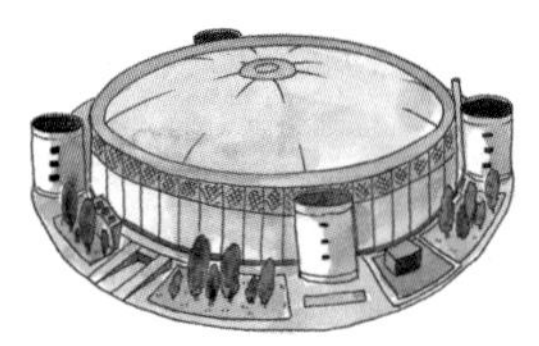

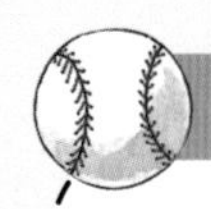

야구가 좋아요!

이름: 김준혁
소속: 리틀 야구단, 5학년
포지션: 우익수
야구가 좋은 이유: 원래 야구를 좋아해요. 뚱뚱하고 둔한 편인 저도 잘할 수 있을 것 같아서, 리틀 야구단이 생긴다는 소식에 얼른 달려갔지요.

연습 방법: 처음엔 공도 제대로 받지 못했어요. 아빠와 캐치볼을 하다가 공에 눈을 맞아 병원에 실려 가기도 했고요. 감독님도 저의 야구 실력을 보고 고개를 갸우뚱했어요. 하지만 좌절하지 않고 열심히 연습했어요. 작년 여름 전국리틀야구대회에 참가한 뒤부터는 부쩍 자신감이 생겼어요. 하면 할수록 야구의 매력에 푹 빠져들고 있습니다.
나의 단점: 솔직히 저는 오른쪽 귀가 잘 들리지 않아요. 난청이 심해서 보청기를 착용해도 큰 효과는 없어요. 외야수는 공이 방망이에 맞을 때 나는 금속음을 듣고 타구의 방향을 판단해야 해서 저는 남들보다 더 많이 노력하고 있답니다.
나의 강점: 귀에 장애가 있는 대신 저는 강한 어깨가 있어요. 나중에 어른이 되면 반드시 훌륭한 프로야구 선수가 되어서 녹색 그라운드를 누빌 겁니다.

1회
야구장에 가요!
오잉
홈런 볼 잡아야지.
홈런 나오면 치킨 무료래.
17

부채 모양 경기장

위에서 내려다보면 야구장은 부채를 펼쳐 놓은 모양이에요.
경기장은 크게 내야와 외야로 나뉘어요.
홈 플레이트와 1루 베이스, 2루 베이스, 3루 베이스를 연결했을 때 그 안쪽이 내야예요.
바깥쪽은 외야라고 해요.

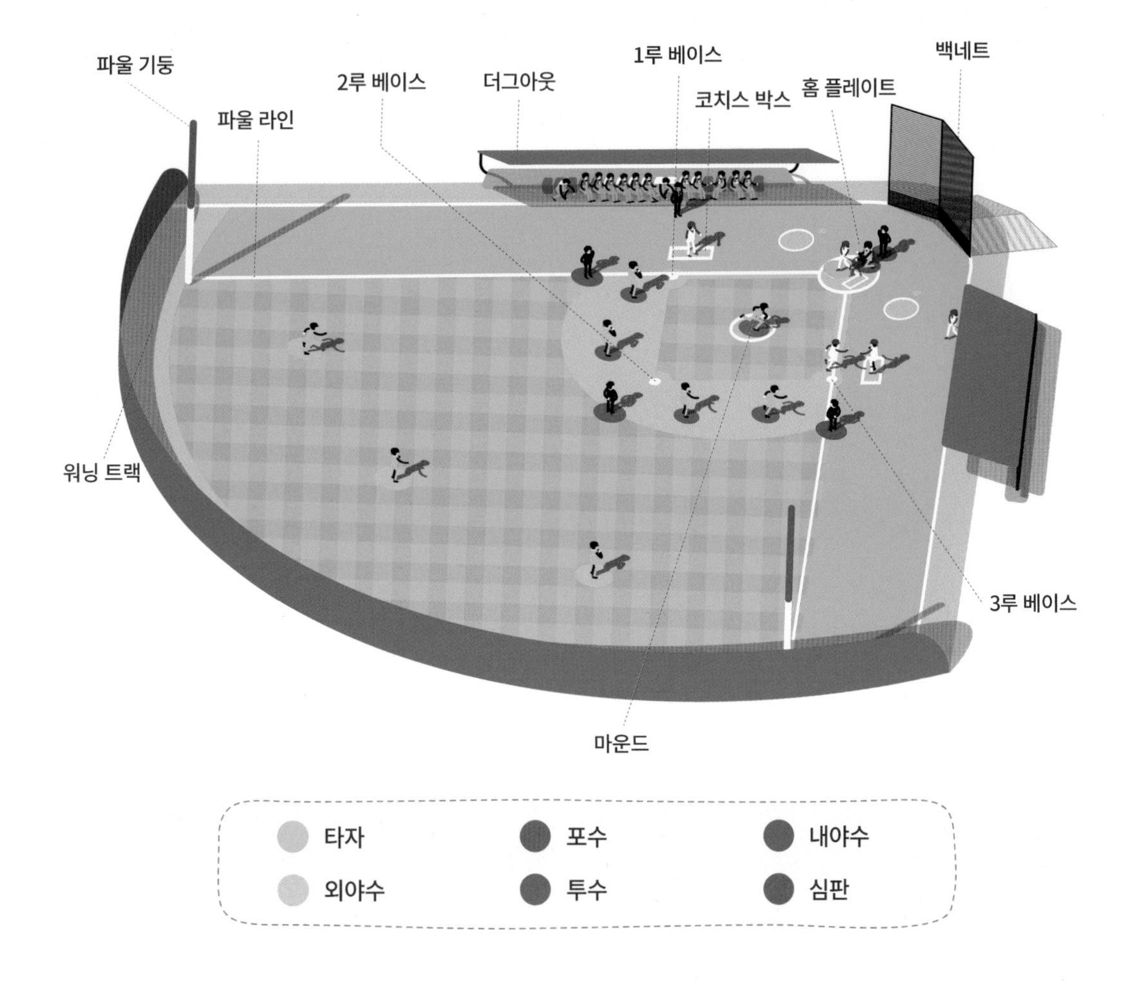

부채꼴의 원형 테두리, 즉 외야 담장의 오른쪽 라인과 왼쪽 라인의 길이는 같고, 가운데는 훨씬 길어요.

타자가 친 공이 부채꼴의 원형 테두리를 넘어가면 홈런이 됩니다.

경기가 가장 잘 보이는 관중석은?

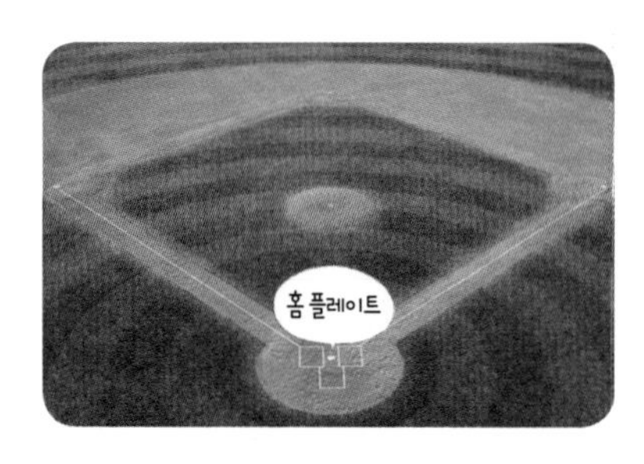

홈 플레이트

부채꼴의 손잡이 부분에서 왼쪽 라인과 오른쪽 라인은 직각을 이루어요. 이 꼭짓점에 오각형 고무판이 있는데 이곳을 홈 플레이트라고 해요. 그 양옆 사각형은 타자가 공을 치는 타석이에요.

경기를 가장 잘 볼 수 있는 관중석은 홈 플레이트 뒤쪽이에요.

그래서 입장료도 가장 비싸요. 보통 야구단 관계자들과 중계방송단, 야구 담당 기자들이 이곳에서 경기를 봐요.

홈 플레이트에서 경기장을 보았을 때 3루가 있는 왼쪽과 1루가 있는 오른쪽에 내야 관중석이 있어요. 보통 홈 팀(우리 팀) 관중이 오른쪽에, 어웨이 팀(상대 팀, 비지팅 팀) 관중이 왼쪽에 자리를 잡아요. 내야 관중석이 외야 관중석보다 경기가 좀 더 잘 보여요.

부채꼴 원형 테두리 바깥에는 외야 관중석이 있어요. 경기의 전체 흐름을 잘 볼 수 있는 자리지요. 또 홈런이 나왔을 때 홈런 공을 잡을 수 있는 곳이랍니다.

돔 구장

야구장 중에는 지붕이 있는 야구장도 있답니다.

이런 야구장을 '돔(dome) 구장'이라고 해요. 보통 야구는 비가 오면 경기 도중이라도 취소되는데, 돔 구장이 있으면 비가 와도, 춥거나 더워도 야구 경기를 즐길 수 있겠죠?
한국에는 2015년 11월 고척스카이돔 구장이 최초로 만들어져 키움 히어로즈가 홈구장으로 사용하고 있습니다. 미국에는 돔 구장이 8개, 일본에는 6개가 있답니다.

고척스카이돔

내야

내야의 모양

내야(infield)는 다이아몬드 모양을 하고 있어요. 내야에는 홈 플레이트와 1루 베이스, 2루 베이스, 3루 베이스가 있어요. 4개의 베이스를 선으로 연결하면 다이아몬드 모양이 돼요. 한 변의 길이가 27.432m인 정사각형이에요.

투수 마운드

투수는 다이아몬드 모양인 내야의 가운데쯤에서 공을 던져요. 1루 베이스와 3루 베이스를 연결한 선보다 약간 앞에 25.4cm 정도 흙을 쌓아 올려요. 이 언덕을 마운드(mound)라고 하지요. 마운드에는 하얀 고무판인 투수판을 설치해요. 투수는 이 투수판을 밟은 상태에서 타자에게 공을 던져야 해요. 홈 플레이트 쪽을 조금 내려다보면서 공을 던지는 것이지요. 마운드부터 홈 플레이트까지의 거리는 18.44m예요.

베이스(base)

1루와 2루, 3루 베이스는 흰색 천으로 만들어요. 이것을 '캔버스 백'이라고 해요. 가로와 세로의 길이는 45.72cm(18인치)이고, 두께는 7.6cm예요.
메이저리그는 2023년부터, 우리나라는 2024년부터 도루에 유리하도록 베이스의 크기를 가로 세로 각각 15인치(38.1cm)에서 18인치로 늘렸어요. 1루와 3루 베이스는 내야 안쪽에 두지만, 2루 베이스는 2루 교차점에 베이스가 놓이도록 설치한답니다.
홈 플레이트는 특별히 흰색 고무로 만들어요. 모양도 베이스와 달리 오각형이에요. 오각형의 뾰족한 부분을 1루 선과 3루 선이 만나는 점에 맞추지요.

TIP

감독은 경기 중에 어디에 있죠?

감독과 선수들은 경기를 하지 않을 때에는 더그아웃(dugout)에 들어가 있어야 해요. 벤치라고도 하지요. 더그아웃은 내야 파울 라인 바깥에 있는데 보통 1루 쪽은 홈 팀이, 3루 쪽은 어웨이 팀이 사용해요.

외야

드넓은 외야

외야(outfield)는 내야보다 훨씬 넓어요.
야구 규칙에는 홈 플레이트에서 외야 담장까지 76.2m만 넘으면 된다고 정해져 있지만 이는 중학생 선수들도 홈런을 칠 수 있는 짧은 거리랍니다. 타자들과 달리 투수들은 홈런이 나오지 않도록 외야 담장까지의 길이가 긴 것을 더 좋아하겠죠?

보통 야구장은 홈 플레이트에서부터 좌우 외야 담장까지의 거리가 90~110m 정도 돼요. 가운데 담장까지는 110~130m 가까이 되지요. 내야는 한 변이 27.432m인 정사각형이라고 했죠? 이 내야를 제외한 나머지 지역이 외야예요.
외야에는 잔디를 심어 놓아서 관중석에서 보면 마치 넓은 잔디 공원처럼 보인답니다.

외야 담장 모양은 마음대로

야구장 외야 담장은 만드는 사람 마음대로 만들고 꾸밀 수 있습니다.

미국 프로야구 플로리다 말린스의 홈구장은 담장이 사람 인(人) 자 모양이에요. 그래서 야구장 전체가 다이아몬드 모양으로 보인답니다.

또 보스턴 레드삭스의 홈구장인 펜웨이 파크는 외야 담장이 들쭉날쭉한 모양이에요.

선수들의 자리는 어디일까요?

야구는 9명의 선수가 하는 경기입니다. 공격할 때는 1번 타자부터 9번 타자까지 차례로 타석에 들어서고, 수비할 때는 각기 9개의 위치에 배치됩니다. 그리고 수비 위치에 따라 번호가 다릅니다. 투수는 1번, 포수는 2번, 1루수는 3번… 이런 식으로 번호가 정해져 있어요. 중계방송에서 "4-6-3 병살타"라고 할 때 나오는 숫자가 바로 이 위치 번호예요.

110m
중견수 (8)
외야수인 좌익수, 중견수, 우익수는
주로 하늘 높이 뜬 공을 쫓아가서
땅에 떨어지기 전에 잡는 역할을 해요.
2루수 (4)
1루와 2루 사이에 위치.
우익수 (9)
1루수 (3)
1루 베이스를 지키는 선수.
주로 2루수와 유격수, 3루수가 땅볼을
잡아서 1루수에게 던지면 1루 베이스에
한쪽 발을 붙인 채 공을 받아요.
각자 맡은 자리가
있구나!
HOME
27

중요한 야구장 예절!

야구장은 공공장소입니다. 다 함께 즐겁게 경기를 보려면 서로를 배려하는 마음을 가져야겠죠? 야구장 예절 가운데 가장 중요한 다섯 가지를 들면 아래와 같아요.

첫째, 자리에서 자주 일어나면 뒷사람의 관전에 방해가 돼요. 물론 응원하는 팀이 홈런을 치거나 득점했을 때, 혹은 위기에서 멋지게 삼진 아웃을 잡았을 때는 일어나 환호해도 돼요. 그런데 중요하지 않은 상황에서 자꾸 일어나면 뒷사람들의 시야를 가리게 되겠죠?

둘째, 앞사람 의자에 발을 올리면 안 됩니다. 내가 앉아 있는 의자에 뒷사람이 발을 올린다면 어떤 기분이 들까요?

셋째, 응원용 막대를 마구 휘두르면 다른 사람에게 방해가 되고 위험해요. 장난치다가 다칠 수도 있으니까요.

넷째, 경기장 안으로 물건을 던지면 절대 안 됩니다. 심판 판정에 불만이 있거나 응원하는 팀이 크게 지고 있어 화가 난다고 경기장 안으로 음료수 캔이나 물병 등을 던지면 선수가 다칠 수 있습니다.

다섯째, 욕설을 해서도 안 됩니다. 주변 사람들이 들으면 몹시 불쾌하겠죠? 경기에 열중하고 있는 선수들이나 불펜(투수들의 준비 운동 장소)에 있던 선수들이 들으면 경기 집중력도 떨어질 거예요.

이 밖에도 어린이와 함께한 어른들은 술을 마시고 난동을 피우거나 지정된 장소가 아닌 구역에서 담배를 피워서는 안 됩니다. 어린이와 어른 모두 에티켓을 잘 지키며 야구를 즐기는 것이 바람직하겠죠?

2회

신기한 야구 장비들

야구공

야구공은 어른 주먹만 한 크기의 흰색 공에
빨간색 실로 바느질이 되어 있어요.
공의 무게는 141.7~148.8g,
둘레는 22.9~23.5cm랍니다.

빨간색 실로 바느질을!

야구공은 1876년에 만들어졌어요.

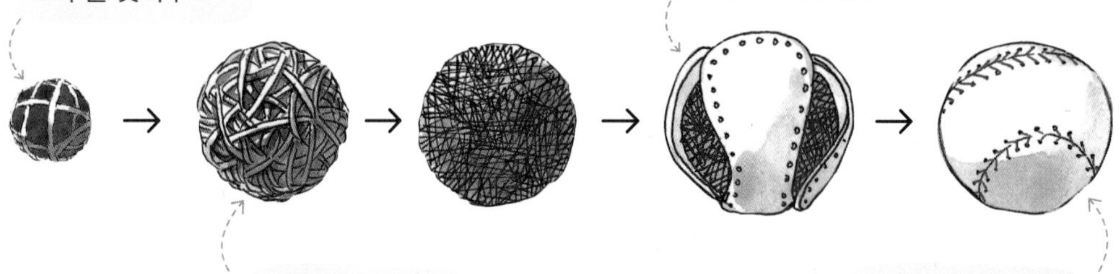

야구공은 딱딱해서 맞으면 크게 다칠 위험이 있답니다. 그래서 어린이들은 고무공이나 속이 빈 공을 사용하기도 해요.

108개의 솔기가?

야구공 솔기 수를 세어 본 적이 있나요?

야구공의 솔기는 108개나 돼요. 야구공을 만들 때 마지막 작업은
8자 모양의 가죽 두 조각을 빨간색 실로 꿰매는 일이에요.
각각 108개의 구멍을 뚫은 가죽 2장을 맞대어 꿰매면 108개의 솔기가 나와요.
왜 108개일까요? 그건 야구 전문가들도 잘 모른다고 해요.
다만 108개의 솔기가 야구공의 최상의 조건을 만든다고만 알려져 있어요.

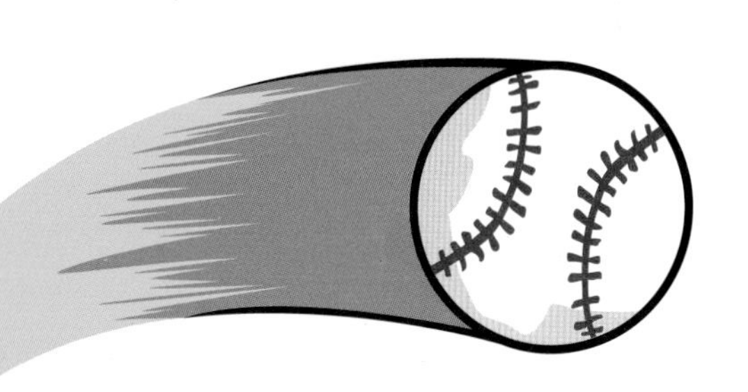

솔기의 중요한 역할!

야구공의 솔기는 아주 중요한 역할을 해요.
공기 저항 공이 날아갈 때 솔기가 공기의 흐름을 불규칙하게 만들어서 공기의 저항을 줄여 줘요. 공기 저항이 줄어들면 공이 추진력을 얻어서 더 빠르게 날아갈 수 있습니다.
회전 솔기로 인해서 공이 회전하기 때문에 변화구를 던질 수 있어요.

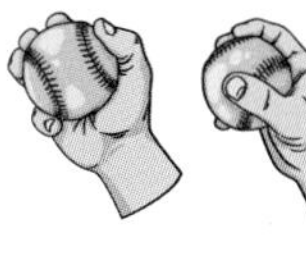

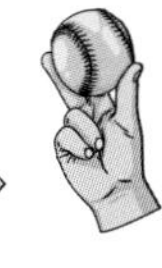

미끄럼 방지 공이 매끈하면 투수가 공을 던질 때 손에서 공이 미끄러질 수도 있어요. 솔기가 미끄러짐을 막아 주어서 투수는 힘이 충분하게 실린 강한 공을 던질 수 있습니다.
왜 빨간색 실일까? 빨간색은 잘 보여서 투수가 던진 공이 날아올 때 타자가 공의 회전을 확인할 수 있도록 해 준답니다.

직접 손으로 꿰매요

프로야구에서 사용하는 공은 사람이 직접 손으로 꿰매요.
공 한 개를 바느질하는 데 보통 1시간 이상 걸린대요.
가죽 2장을 잘 맞대고 216개의 구멍을 일일이 다 꿰매려면 온 정성을 다해야겠죠?

야구 방망이

방망이는 겉면이 고르고 둥글어야 해요.
보통 알루미늄이나 나무로 만드는데, 나무 방망이는 하나의 목재로 만들어야 합니다.

알루미늄 방망이와 나무 방망이

예전에는 속이 비어 있는 알루미늄 방망이는 아마추어 야구에서, 나무 방망이는 프로야구에서 사용했는데 지금은 아마추어 야구 선수들도 나무 방망이를 많이 사용하고 있어요. 한국은 2004년부터 나무 방망이 사용이 의무화되어 고등학교와 대학교에서도 나무 방망이를 사용하고 있답니다.

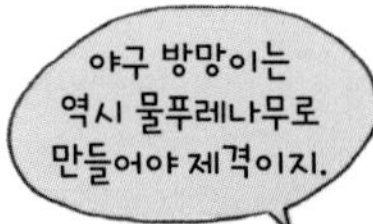

나무 방망이는 주로 물푸레나무로 만들고, 단풍나무를 사용하기도 해요. 담황색이나 다갈색, 검정색으로 색을 칠할 수는 있지만, 겉면에 나이테가 꼭 보여야 합니다.

야구 방망이 무게가 1kg이 넘는다고?

가장 굵은 부분
지름 약 7cm
손잡이 부분
지름 약 2.5cm
길이 106.7cm 이하
무게 한국과 대다수의

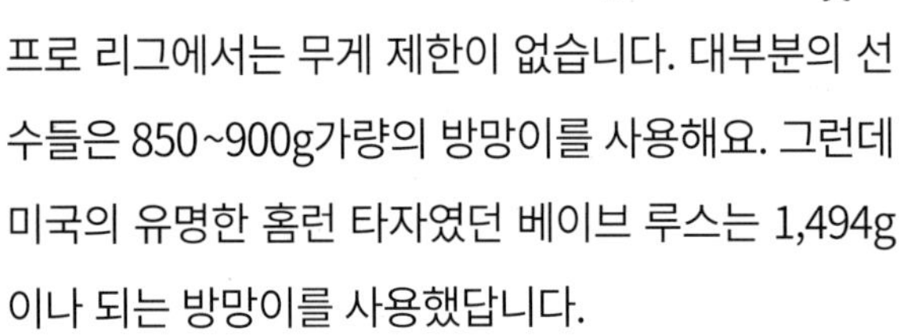

프로 리그에서는 무게 제한이 없습니다. 대부분의 선수들은 850~900g가량의 방망이를 사용해요. 그런데 미국의 유명한 홈런 타자였던 베이브 루스는 1,494g이나 되는 방망이를 사용했답니다.

TIP

다른 물질을 넣으면 반칙!

공을 더 세게 치려고 방망이에 다른 물질을 넣거나 바르는 것은 반칙입니다. 1974년, 뉴욕 양키스의 그레이그 네틀스 선수가 방망이 속에 고무를 넣었답니다. 그런데 경기 도중 방망이가 부러지는 바람에 고무를 넣은 것이 탄로 나고 말았어요.

글러브와 미트

글러브 또는 미트는 수비할 때 선수들이 공을 잘 받기 위해서 사용해요. 가죽으로 만든 커다란 장갑처럼 생겼는데, 엄지와 검지 사이 가죽에 커다란 그물 끈이 있어서 공을 잡기에 편리해요.

글러브 모양은 사용하는 선수의 포지션에 따라서 조금씩 달라요.

왼손잡이는 오른손에, 오른손잡이는 왼손에 낍니다.
글러브의 무게 제한은 없지만 크기는 제한이 있습니다.

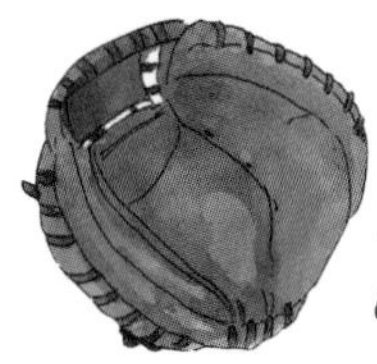
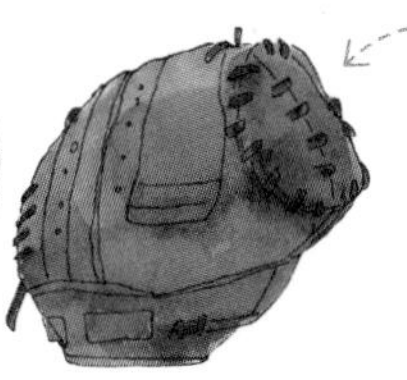

포수 미트
포수와 1루수가 사용하는 글러브는 미트라고 불러요.
포수 미트는 일반 글러브보다 더 넓고 두꺼워요.

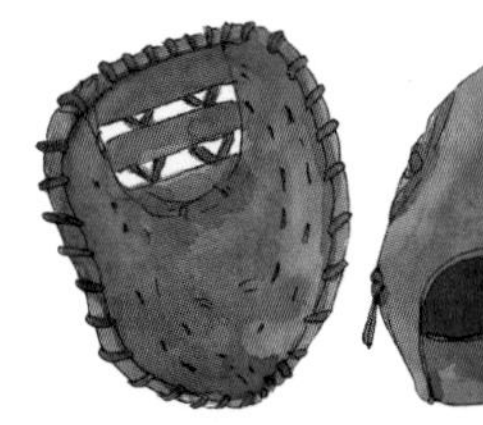
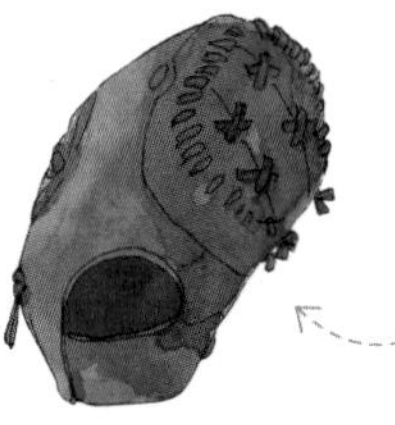

1루수 미트
1루수 미트 역시 일반 글러브보다 크고 길쭉해요.

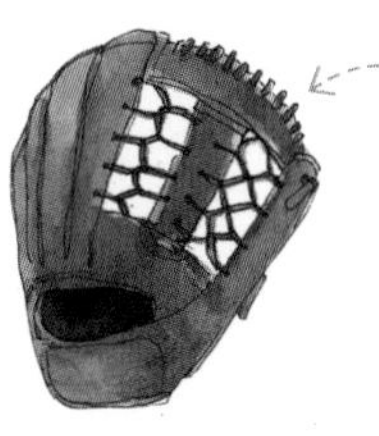

외야수 글러브
외야수 글러브는 내야수 글러브보다 조금 더 커요.

유니폼과 등번호

다른 스포츠와 마찬가지로 야구도 상대 팀과 구별하기 위해서 유니폼을 입습니다. 선수들은 2개의 유니폼을 가지며, 홈 경기에서는 주로 흰색 유니폼을 입고 어웨이 경기(원정 경기)에서는 색깔이 있는 유니폼을 입어요.

감독, 코치가 선수들과 똑같은 유니폼을 입는 종목은 여러 스포츠 가운데 야구밖에 없어요. 또 반바지가 아니라 긴바지를 입고 모자를 쓰는 경기도 구기 단체 종목 가운데 야구가 유일하답니다. 축구나 농구, 배구, 핸드볼, 럭비 등 대부분의 종목에서는 감독과 코치가 양복이나 트레이닝복을 입습니다.

반짝이는 것은 No!

야구 유니폼에는 반짝이는 물질이나 야구공을 연상시키는 것을 붙이면 안 돼요.
타자가 순간적으로 투수가 던진 공으로 착각할 수 있기 때문이에요.

야구 모자

모자는 낮 경기에서는 햇빛을 가리기 위해, 야간 경기에서는 조명 불빛을 가리기 위해서 써요. 눈이 부시면 플라이 볼(fly ball, 뜬공)을 잡기 힘드니까요. 눈 밑에 검은 칠을 하거나 검은 테이프를 붙이는 것도 눈 부심을 막기 위해서예요. 검은색이 빛을 흡수하기 때문이지요.

2
회

등번호는 또 다른 이름!

유니폼에 표시되는 등번호는 15cm 이상의 크기로 붙여야 해요. 관중이 멀리서도 어떤 선수인지 알아볼 수 있도록 말이지요.

등번호에는 숫자 이상의 의미가 담겨 있답니다.

투수는 1번, 11번, 21번처럼 끝이 1로 끝나는 번호를 많이 달아요.
11번은 팀의 에이스를 뜻합니다.

2로 끝나는 번호는 포수가 좋아하는 번호예요. 특히 22번은 포수에게 인기가 많아요.
10번은 왼손 강타자가 많이 사용해요. 왼손잡이 강타자 장훈 선수 때문이지요.
44번은 홈런 타자를 뜻해요. 미국 프로야구 메이저리그의 홈런왕이었던 행크 아론과 레지 잭슨의 등번호가 44번이었기 때문이에요. 하지만 아시아에서는 숫자 4와 한자 死의 발음이 비슷하다고 해서 기피하기도 해요.
7은 행운의 숫자로 알려져 선수들이 좋아한답니다.

등번호는 선수들의 이름이나 마찬가지라서 선수 대부분은 자신의 등번호에 애착을 갖고 있어요. 팀을 옮겼을 때 자신이 달았던 등번호를 다른 선수가 달고 있으면 그 번호를 양보해 달라고 부탁하는 경우도 종종 있습니다. 보통 스타 선수와 팀의 선배가 우선적으로 원하는 등번호를 갖게 됩니다.

TIP

이름을 딴 등번호

자신의 이름과 관련시켜 등번호를 정하는 선수도 있답니다. 과거 MBC 청룡의 투수 오영일 선수는 자신의 이름(501)에서 가운데 0을 뺀 51을 등번호로 정했어요. 롯데 자이언츠에서 뛰었던 공필성 선수는 자신의 성을 따서 등번호가 0번이었지요. 지금은 고인이 된 롯데 자이언츠 박동희 투수는 아버지(박두일) 이름을 따서 등번호가 21번이었습니다.

영광의 번호, 영구결번

영구결번은 인기가 많고 팀에 크게 기여한 선수를 기리기 위해 사용하지 않고 남겨 놓는 등번호예요. 미국 프로야구 메이저리그의 뉴욕 양키스는 루 게릭의 등번호였던 4번과 베이브 루스의 등번호였던 3번을 영구결번으로 하고 있어요.

한국 프로야구 최초의 영구결번은 OB 베어스의 포수 김영신의 54번입니다. 김영신 선수는 1986년에 사고사로 생을 마감했어요. 이후 여러 팀에서 영구결번 등번호들이 나왔어요.

KIA 타이거즈 선동열의 18번, 이종범의 7번
두산 베어스 박철순의 21번
삼성 라이온즈 이만수의 22번, 양준혁의 10번, 이승엽의 36번
한화 이글스 장종훈의 35번, 송진우의 21번, 정민철의 23번, 김태균의 52번
LG 트윈스 김용수의 41번, 이병규의 9번, 박용택의 33번
SK 와이번스 박경완의 26번

삼성 라이온즈에서 활동하던 때의 양준혁 선수

TIP

미국에는 없는 등번호가 있다?

미국 메이저리그에는 어떤 팀에도 등번호 42번이 없답니다. 1947년에 흑인 최초로 메이저리그 야구 선수가 된 재키 로빈슨(당시 브루클린 다저스)을 기리기 위해서예요. 모든 팀이 42번을 영구결번으로 정한 것이지요. 감동적이죠?

포수가 착용하는 장비들

포수는 다른 수비수들과 달리 미트를 비롯해 여러 가지 장비를 착용해요. 투수가 던진 빠른 공을 받아야 하고 타자의 공에 다칠 수도 있기 때문이에요.

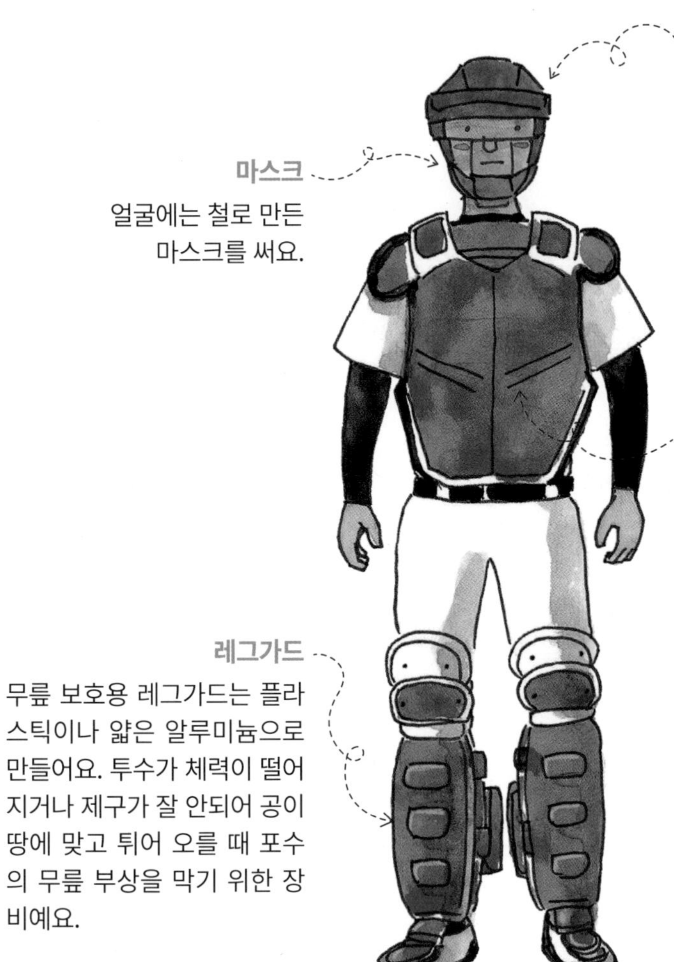

헬멧

머리를 보호하기 위해서 방호용 헬멧을 써요. 요즘에는 마스크와 헬멧이 붙어 있는 형태도 있답니다.

마스크

얼굴에는 철로 만든 마스크를 써요.

프로텍터

가슴에는 프로텍터라는 가슴 보호대를 착용해요. 미처 공을 잡지 못했을 때 빠르게 날아오는 공으로부터 몸을 보호해 주지요.

레그가드

무릎 보호용 레그가드는 플라스틱이나 얇은 알루미늄으로 만들어요. 투수가 체력이 떨어지거나 제구가 잘 안되어 공이 땅에 맞고 튀어 오를 때 포수의 무릎 부상을 막기 위한 장비예요.

이런 장비를 다 갖춘 상태로
쪼그리고 앉아 경기하는 포수는 참 대단하죠?

타자의 머리를 보호하는 헬멧

공을 치기 위해 타석에 선 타자는 투수의 공을 조심해야 해요. 그래서 꼭 헬멧을 써야 합니다. 헬멧에는 양쪽 또는 한쪽 귀 덮개가 달려 있어서 머리뿐 아니라 귀까지 보호해 줘요.

투수가 던지는 공은 보통 시속 140~150km에 달해요.

150g의 야구공이라도 이렇게 빠른 속도로 날아오면 아주 위험한 '무기'나 다름없어요. 시속 150km로 날아오는 야구공의 위력은 마치 누워 있는 사람에게 28kg의 단단한 물체를 1m 높이에서 떨어뜨리는 것과 같다고 해요.

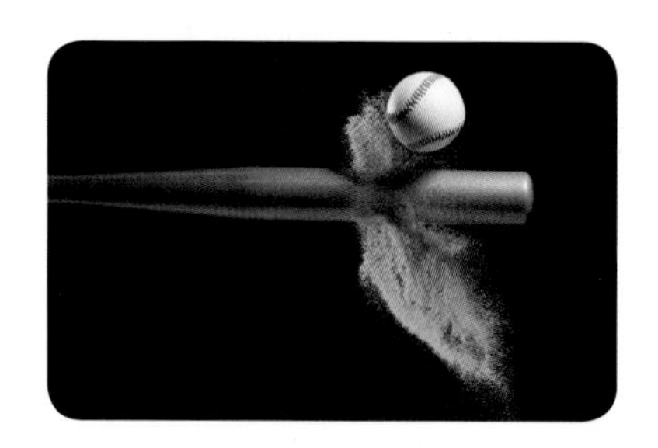

야구공에 맞아 부상을 당하거나 심지어 사망한 사건도 있었어요.

1920년, 미국 프로야구 팀 클리블랜드 인디언스의 타자 레이 채프먼은 뉴욕 양키스와의 경기 도중 상대 투수 칼 메이스가 던진 공에 머리를 맞아 사망했습니다. 한국 프로야구에서도 지금은 은퇴한 심정수 선수와 KIA 타이거즈의 이종범 선수가 투수의 공에 맞아서 크게 다친 적이 있습니다. 심정수 선수는 2001년 현대 유니콘스에서 뛸 때 얼굴을 맞아서 광대뼈가 푹 들어가는 큰 부상을 입었고, 이종범 선수도 얼굴뼈가 부러졌지요.

이후 심정수 선수는 공에 대한 공포감을 없애기 위해 특수 헬멧을 쓰고 타석에 들어섰답니다. 일반적인 헬멧은 머리와 귀만 가리지만, 심정수 선수의 특수 헬멧은 왼쪽 얼굴을 거의 뒤덮는 '검투사 헬멧'이었어요. 이종범 선수도 부상 이후 비슷한 헬멧을 썼지요. 검투사 헬멧은 부상당한 선수들이 특별히 주문해서 수작업으로 만든답니다.

검투사 헬멧을 쓴 심정수 선수

야구장 전광판 보는 법

야구장에 가면 커다란 전광판이 있어요. 전광판은 경기 상황을 쉽게 이해할 수 있도록 돕는 장치예요. 영어가 많아 복잡해 보이지만 알고 보면 쉽고 간단하답니다.

스코어보드
메회 점수를 표시하는 보드. 위의 팀이 어웨이 팀이고 아래 팀이 홈 팀. 어웨이 팀이 먼저 공격합니다.

왼쪽 선수 이름
어웨이 팀 선수들 이름. 타격 순서대로 기록.

오른쪽 선수 이름
홈 팀 선수들 이름. 타격 순서대로 기록.

타자 이름 옆의 알파벳
수비 포지션은 P-투수, C-포수, 1B-1루수, 2B-2루수, 3B-3루수, SS-유격수, LF-좌익수, CF-중견수, RF-우익수입니다. DH는 지명 타자(designated hitter), 대타자는 PH, 대주자는 PR로 표시합니다.

타자의 기록
HR(home run)은 시즌 홈런 수, RB(run batted in)는 시즌 타점 수, AV(batting average)는 시즌 타율.

스코어보드 옆의 R, H, E, B
해당 팀의 그날 경기 성적. R(run)은 득섬, H(hit)는 안타, E(error)는 실책, B(ball)는 볼넷의 수. 위쪽이 어웨이 팀, 아래쪽이 홈 팀의 기록.

심판 표시
CH(chief umpire)는 주심, Ⅰ·Ⅱ·Ⅲ는 각각 1루심, 2루심, 3루심. LF는 좌선심, RF는 우선심.

볼 카운트 및 타구 판정
타자의 볼 카운트. B는 볼, S는 스트라이크, O는 아웃. H(hit)는 안타로 출루, E(error)는 실책에 의한 출루, FC(fielder's choice)는 야수 선택에 의한 출루.

투구 속도
투구는 투수가 공을 던지는 것을 말합니다.
SP(speed of pitching)는 투수가 던진 공의 속도입니다.

3회
알쏭달쏭 흥미 만점 야구 규칙

심판도 규칙집을 본다고요?

야구는 스포츠 가운데 규칙이 가장 복잡한 종목이에요. 야구 규칙은 경기장 규격에서부터 용어, 선수들의 역할과 반칙, 심판의 권한과 의무, 경기 기록원이 해야 할 일 등 10여 가지 항목으로 나뉘어 있어요. 그리고 규칙 하나하나에 10여 가지가 넘는 세부 내용들이 또 있어요. 정말 많죠? 심판들도 복잡하고 까다로운 규칙을 확인하기 위해 경기 도중에 이따금 규정집을 꺼내 볼 정도랍니다.

하지만 이 규칙들을 다 알아야 야구를 즐길 수 있는 것은 아니에요.
기본적인 규칙만 알아도 더 재미있게 야구를 즐길 수 있답니다.

야구의 기본 규칙

승패 9명의 선수로 구성된 두 팀이 공격과 수비를 번갈아 하며 9회까지 진행해서 득점을 많이 한 팀이 이기는 경기입니다.

경기 시간 시간은 따로 정해져 있지 않고 '이닝'이라고 하는 회(回)를 단위로 경기를 진행합니다. 먼저 공격하는 팀을 초(初), 나중에 공격하는 팀은 말(末)이라고 하지요. 즉 한 팀이 1회 초에 공격하면 1회 말에는 수비를 하게 되고, 반대로 1회 초에 수비를 하는 팀은 1회 말에 공격을 합니다. 이렇게 번갈아 9회까지 경기를 진행합니다.

공격 팀과 수비 팀

공격 팀 1번 타자부터 9번 타자까지 순서를 정해서 차례대로 타석에 들어섭니다.
수비 팀 위치와 역할에 따라서 투수, 포수, 1루수, 2루수, 3루수, 유격수, 좌익수, 중견수, 우익수를 맡습니다.

양 팀은 시합 전에 심판에게 타순 표와 수비 위치를 미리 제출합니다.
타순은 변경할 수 없지만, 수비 위치는 바꿀 수 있답니다.

경기 진행 방식 수비 팀 선수들이 수비 위치에 서면 공격 팀 선수들은 타순대로 한 명씩 타석에 들어섭니다. 공격 팀이 아웃 세 번, 즉 스리 아웃을 당하면 공격과 수비를 바꾸어 수비를 한 팀이 공격에 나섭니다.

심판

심판은 일반적으로 주심과 1루심, 2루심, 3루심, 이렇게 4명이지만, 중요한 경기에서는 좌익선심, 우익선심까지 6명으로 구성되기도 해요. 한국 프로야구에서는 정규 리그 때는 4심제로, 포스트 시즌 때는 6심제로 진행합니다.

TIP

으르렁거리는 감독과 심판

야구 경기에서는 스트라이크와 볼, 아웃과 세이프에 대한 판정 때문에 감독과 심판이 다투는 모습을 종종 볼 수 있습니다. 하지만 심판이 한번 내린 판정은 비디오 판독 외에는 다시 뒤집을 수 없어요.
그런데도 항의하는 이유는 따로 있어요. 심판이 실수로 판정을 잘못 내렸다면, 다음에 비슷한 상황에서 피해를 본 팀에 조금 유리하게 판정할 수도 있고, 팀의 사기를 올리기 위해서이기도 해요. 하지만 감독이 심판에게 욕설을 한다거나 밀치는 등 몸에 손을 대면 퇴장을 당합니다. 비디오 판독 결과에 항의해도 퇴장당합니다.

스트라이크와 볼

타격 자세 타자는 타자석 안에 양발을 딛고 공을 쳐야 합니다. 그것이 정해진 타격 자세예요. 타자석은 홈 플레이트 양쪽에 하얀 선으로 표시한 직사각형입니다. 마운드에서 바라봤을 때 오른손 타자는 오른쪽에, 왼손 타자는 왼쪽 타석에 섭니다.
타석에 선 타자가 공을 치면 심판은 스트라이크(strike) 또는 볼(ball)을 선언합니다.

스트라이크 투수가 던진 공이 스트라이크 존(strike zone)을 통과할 때를 말합니다. 스트라이크 존은 홈 플레이트 위, 타자의 겨드랑이(어깨와 바지 벨트의 중간 지점)부터 무릎 아랫부분까지의 공간이에요.

볼 볼은 투수가 던진 공이 스트라이크 존을 벗어났을 때입니다.

판정 심판은 무릎을 살짝 낮추고 서서 공이 어느 공간을 통과하는지 정확하게 보고 스트라이크와 볼을 판정해요.
한국 프로야구에서는 2024년부터 ABS(자동투구판정시스템)를 도입했어요.

헛스윙 타자가 방망이를 휘둘렀는데 공을 맞히지 못했다면 스트라이크 존의 통과 여부와 상관없이 스트라이크로 간주합니다.

스트라이크 아웃(strike out) 스트라이크가 세 번이 되면 타자는 아웃이 됩니다.

볼넷(베이스 온 볼스, base on balls) 반대로 볼이 4개면 볼넷으로 타자가 1루까지 나갈 수 있습니다. 투수가 던진 공이 타자의 몸에 맞을 경우에도 타자는 1루로 나갑니다.

파울 볼(foul ball)

야구장은 페어 지역과 파울 지역으로 나뉘어 있어요. 페어 지역은 경기장 왼쪽과 오른쪽에 있는 파울 라인과 파울 기둥 안쪽을 말해요. 그 바깥쪽은 파울 지역이지요. 공이 파울 라인, 파울 기둥 안쪽으로 떨어지면 페어 볼로 인정되고, 바깥쪽으로 떨어지면 파울이 선언돼요.

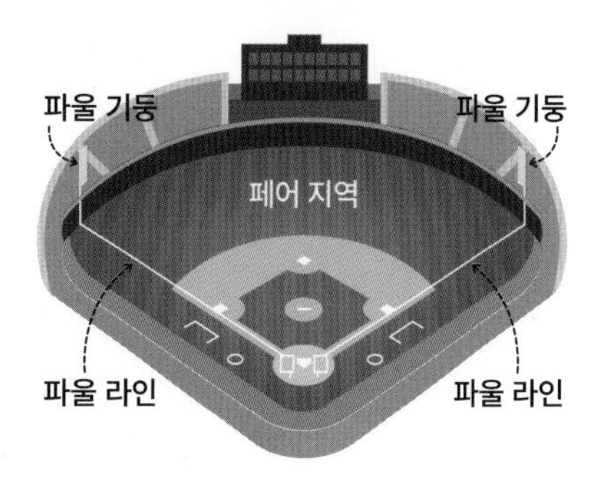

공이 선 위에 떨어지면? 공이 선 위에 떨어져도 페어 지역에 떨어진 것으로 인정한답니다.

무제한 칠 수 있는 파울 볼 파울 볼은 3개 이상 쳐도 타자가 아웃되지 않아요. 전광판에도 스트라이크 개수로만 표시되지요. 파울 볼을 계속 쳐도 전광판에 스트라이크 2로만 표시돼요.

번트(bunt) 타자 자신은 아웃이 되더라도 주자가 다음 베이스로 나아갈 수 있도록 방망이를 눕혀 잡고 공을 톡 맞혀 내야에 떨어지도록 하는 공격 기술을 말해요.

아웃(out)과 세이프(safe)

야구에서 아웃이 되는 경우는 굉장히 많습니다. 그중 세 가지 경우가 가장 많아요.

삼진(strike out) 타자가 스트라이크 3개를 당하면 스트라이크 아웃, 즉 삼진이 됩니다. 그 가운데서도 투 스트라이크 이후에 타자가 스트라이크 존으로 들어오는 공에 스윙을 하지 않고 삼진을 당하면 루킹(스탠딩) 삼진이라고 해요. 또 투 스트라이크 후에 공을 맞히지 못하고 스윙을 하면 헛스윙 삼진, 투 스트라이크 이후 번트로 친 공이 파울이 됐을 경우는 스리 번트 아웃이라고 해요.

플라이 아웃(fly out) 타자가 친 공이 공중에 높이 떠도 땅에 떨어지기 전에 수비수가 잡으면 아웃이 돼요. 이것을 플라이 아웃이라고 하는데, 좌익수가 잡으면 좌익수 플라이 아웃, 포수가 잡으면 포수 플라이 아웃이라고 부릅니다. 페어 지역이든 파울 지역이든 상관없이 모두 아웃이 된답니다.

땅볼 아웃 땅에 닿은 공(땅볼)을 수비수가 잡은 뒤 타자가 1루에 도착하기 전에 1루수에게 던져서 아웃을 시키는 경우입니다. 이때 1루수는 반드시 1루 베이스를 밟고 있어야 해요. 유격수가 공을 잡아서 1루에 던져 아웃시키면 유격수 땅볼 아웃, 1루수가 공을 잡아서 1루 베이스를 밟아 아웃시키면 1루수 땅볼 아웃이라고 부릅니다.

세이프(safe) 주자가 베이스를 먼저 밟거나 터치하는 것을 말합니다. 심판이 오른팔을 위로 들어올리면 **아웃**이고, 양팔을 옆으로 벌리면 **세이프** 판정입니다.

심판의 아웃 판정

심판의 세이프 판정

안타와 홈런

안타(hit) 수비수 실책 없이 타자가 한 개 이상의 베이스로 갈 수 있도록 공을 치는 것을 말합니다.

내야 안타 타자가 1루수나 2루수, 3루수, 유격수 앞으로 굴러가는 내야 땅볼을 치고도 1루에 진출하는 경우를 말합니다. 평범한 내야 땅볼을 치고 1루에 진출하기란 사실상 쉽지 않습니다. 그러나 다음 세 가지 경우에는 가능할 수 있습니다. 내야수가 실수로 공을 놓쳤다거나 발이 아주 빠른 타자가 느린 타구나 땅에 부딪혀 높이 튀어 오르는 타구를 쳤을 경우지요. 또 타자가 의도적으로 기습 번트를 대는 경우에도 가능합니다. 그러나 수비수의 실수로 타자가 1루에 진출하면 수비 실책으로 기록됩니다.

외야 안타 타자가 외야로 공을 날렸는데, 좌익수나 중견수, 우익수 등 세 명의 외야수 가운데 누구도 공을 잡지 못할 경우, 이것을 안타라고 부릅니다. 그런데 외야로 공을 날렸는데 외야수가 충분히 잡을 수 있는 공을 놓쳤다면 안타가 아니라 실책으로 기록됩니다.

안타의 종류 안타도 종류가 여러 가지입니다. 타자가 1루까지 가면 단타라고 해요. 2루까지 가면 2루타, 3루까지 가면 3루타, 홈 베이스까지 밟으면 홈런이 됩니다.

홈런(home run) 일반적으로 공이 100m 이상 떨어진 담장을 넘어가는 것을 홈런이라고 해요. 하지만 공이 담장을 넘어가지 않고도 타자가 홈 베이스까지 들어오는 그라운드 홈런(inside the park home run)도 있습니다.

3회

주자

주자(runner) 타자가 1루나 2루, 3루 베이스로 가면 이때부터는 주자라고 불러요. 주자는 자신이 밟고 있는 베이스에서 다음 베이스로 달려가야 해요. 주자가 3루까지 돌아 홈 베이스를 밟으면 득점이 되기 때문이지요.

잔루 주자가 자신의 팀이 스리 아웃될 때까지 홈 플레이트에 들어오지 못하고 남아 있을 때 이를 '잔루(殘壘)'라고 해요.

TIP

심판도 감독도 헷갈린 타순

야구 규칙이 복잡하다 보니 때로는 감독이나 심판도 헷갈릴 때가 있답니다. 2010년 미국 프로야구 메이저리그에서는 선수 교체를 복잡하게 하는 바람에 선수와 감독이 타순을 잘못 알고, 자기 타순이 아닌 선수가 타자로 섰습니다. 앞에서 야구 규칙에서는 타순을 바꿀 수 없다고 했죠? 그런데 감독도 심판도 상대 팀에서 항의하기 전까지 뭐가 잘못됐는지 몰랐다고 해요.

주자가 아웃되는 경우 다양한 경우가 있어요. 타자가 페어 지역으로 땅볼을 치면, 1루 주자는 반드시 2루로 가야 해요. 그래야 타자가 1루로 올 수 있으니까요. 그런데 다음 베이스에 도착하기 전에 수비수가 공을 잡아 주자의 몸에 대면 태그아웃이 됩니다. 태그(tag)는 수비수가 공을 잡은 글러브나 손을 상대 팀 주자의 몸에 대는 것을 말해요. 또 타자가 내야 땅볼을 쳤을 경우, 내야수가 1루로 공을 던져 1루수가 1루 베이스를 밟고 공을 잡으면 1루를 향해 달려오던 타자는 아웃이 됩니다. 주자를 태그하지 않아도 아웃이 돼요.

플라이 볼일 경우 타자가 친 공이 플라이 볼이 됐을 때, 주자는 다음 베이스로 바로 달려 나갈 수 없답니다. 베이스를 밟고 서 있다가, 공이 수비수의 몸이나 글러브에 닿는 순간 다음 베이스를 향해 달려갈 수 있지요. 이를 '태그 업(tag up)'이라고 해요. 다음과 같은 경우에 태그 업을 자주 쓴답니다. 노 아웃 또는 원 아웃에 주자가 3루에 있을 때, 타자가 플라이 볼을 외야 멀리 날려 주면 외야수가 공을 잡는 순간 3루 주자가 홈으로 들어와 득점할 수 있습니다. 태그 업을 득점 수단으로 활용하는 것이지요. 이때 수비수가 공을 잡은 순간에 주자는 꼭

베이스를 밟고 있어야 합니다. 만약 베이스를 떠나 있었다면 주자는 다시 돌아와서 베이스를 밟은 후 다음 베이스로 달려가야 해요. 주자가 베이스로 돌아오기 전에 수비수가 먼저 공을 잡아서 베이스를 밟으면 그 주자는 아웃이 됩니다.

정해진 경기 시간이 없는 야구

축구는 전·후반 45분씩 90분 동안 경기를 하고, 농구는 쿼터당 10분씩 4쿼터까지 경기하지요. 그런데 야구는 그렇지 않답니다.

야구는 9회까지

야구는 정해진 경기 시간이 없고, 9회까지 승패가 가려져야 경기가 끝납니다. 보통 프로야구 경기는 3시간 정도 진행되고, 고교 야구는 2시간 30분 정도 진행되지요. 뿐만 아니라 투수 교체를 자주 한다거나 투수가 투구 간격을 지나치게 길게 끌면 경기 시간이 더 길어진답니다.
한국 프로야구에서 최장 시간 진행된 경기는 2008년 6월 12일 목동구장에서 열린 KIA 타이거즈와 우리 히어로즈(현 키움 히어로즈)의 경기였어요. 무려 6시간 17분이나 걸렸지요. 경기 도중에 비가 와서 55분간의 우천 중단 시간이 포함됐기 때문이에요. 경기 결과는 우리 히어로즈가 KIA 타이거즈를 2:1로 이겼답니다.
반면에 9회까지 겨우 1시간 33분밖에 걸리지 않은 경기도 있었어요. 1985년 9월 21일, 부산 구덕야구장에서 열린 롯데 자이언츠와 청보 핀토스의 경기였습니다. 롯데 자이언츠가 청보 핀토스를 3:1로 이겼지요.

TIP

이틀에 걸친 경기

한국 프로야구에서 자정을 넘긴 '무박 2일' 경기는 모두 7차례 있었습니다. 이 가운데 2009년 5월 21일 KIA 타이거즈와 LG 트윈스의 광주 경기는 무려 5시간 58분이나 진행됐는데, 이는 우천 중단 없는 역대 최장 시간 경기 기록입니다. 이 경기는 오후 6시 30분에 시작해서 자정을 넘긴 12시 28분에 끝났어요. 연장 12회에 13:13 무승부로 경기가 마무리되었답니다.

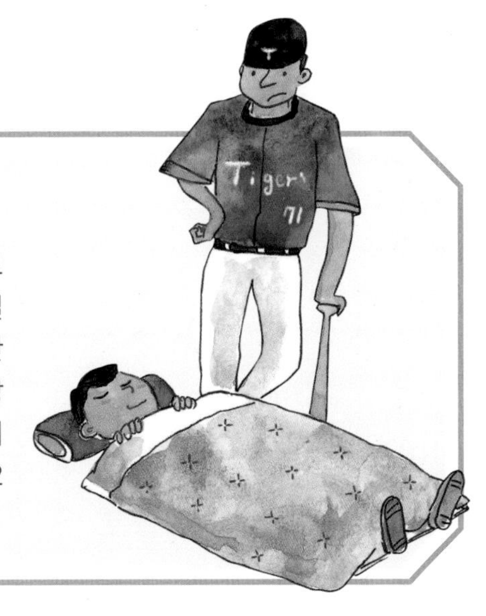

연장전은 언제까지 할까요?

한국 프로야구에서는 9회 말까지 경기가 다 진행되었는데도 두 팀 점수가 동점일 경우에는 연장전으로 승부를 결정합니다. 연장전도 양 팀이 이닝마다 공격과 수비를 하는 형식으로 진행됩니다. 12회 말까지 연장전을 벌였는데도 여전히 승패가 갈리지 않으면 무승부입니다. 그러나 포스트 시즌에는 15회까지 연장전이 이어집니다.

무승부가 없는 미국 프로야구

미국 메이저리그에서는 무승부가 없답니다. 9회까지 동점일 경우 승부가 날 때까지 연장전을 벌이지요. 그래서 경기 시간이 무척 길어지기도 해요. 1984년 시카고 화이트삭스와 밀워키 브루어스의 경기는 다음 날 새벽까지 이어졌답니다. 무려 8시간 6분 동안 계속되었지요.

한국 야구도 무승부를 없앤다면?

한국 프로야구에서도 무승부를 없앤 적이 있어요. 2008년 한 시즌 동안이었지요. 그해 9월 3일 두산 베어스과 한화 이글스의 경기는 18회 5시간 51분 동안 펼쳐졌습니다. 결국 두산 베어스가 1:0으로 이겼답니다. 이 경기에서는 당시 최다 이닝 신기록 등 여러 진기록이 나왔습니다. 하지만 승패가 가려질 때까지 끝도 없이 연장전을 하면 선수들은 물론 관중도 지치기 때문에 다시 무승부가 있는 것으로 되돌렸습니다.

야구 경기가 중단되는 경우는 언제일까요?

야구는 여러 가지 이유로 경기가 중단되거나 취소되기도 해요. 경기 중단이나 취소를 선언할 수 있는 사람은 심판이에요. 일반적으로 다음과 같은 상황이면 경기 중단을 선언합니다.

- 법률이나 리그 규약에 시간제한이 있을 경우
- 조명 시설이 고장 났을 경우
- 홈 팀의 구단이 관리하고 있는 경기장의 기계 장치가 고장 났을 경우
- 조명 시설을 쓸 수 없다는 법률이 있어, 어두워졌는데도 조명을 켤 수 없을 경우
- 비가 와서 경기를 진행할 수 없는 경우

갑자기 경기가 중단되면 기록이 바뀌기도 하고 승패가 달라지는 일도 생깁니다. 경기를 하던 선수들이나 관람하던 사람들도 아쉬움이 크겠죠?

일시정지

일시정지 경기(suspended game)는 어떠한 이유로 경기를 계속할 수 없을 경우에 심판이 경기를 중단시키는 것을 말해요. 일시정지를 해야 했던 상황이 끝나면, 중단했던 순간의 상황 그대로 다시 경기를 이어 갑니다. 점수와 아웃은 물론, 타격 순서도 그대로 이어 가는 것이지요. 하지만 규칙에서 허용하는 선수 교대는 가능하답니다.

콜드 게임과 노 게임

야구에서 경기가 중단되는 경우는 일시정지 경기 외에 콜드 게임(called game)과 노 게임(no game)이 있습니다.

3회

콜드 게임은 심판이 경기 종료를 선언한 경우입니다.

그래서 일시정지 경기와는 달리 재경기를 하지 않습니다. 경기의 승패는 중단된 시점의 점수로 결정합니다. 콜드 게임이 되는 경우는 여러 가지가 있습니다.

콜드 게임을 선언하는 심판

아마추어 경기에서 두 팀의 점수 차이가 너무 많이 벌어져 있을 경우
더 이상 승패가 바뀔 가능성이 거의 없다고 판단되면 심판은 9회까지 진행하지 않고 5, 6회 또는 7, 8회에서 경기를 끝냅니다. 보통 7회 말까지 양 팀의 점수가 7점 이상 차이 나면 콜드 게임이 선언됩니다.

비가 많이 내려서 경기를 계속할 수 없는 경우
예를 들어 5회를 마친 상황에서 비가 많이 내려 콜드 게임이 선언되면, 그 경기는 정식 경기로 인정합니다. 그때까지 점수가 앞선 팀이 승리하게 됩니다. 이것을 강우 콜드 게임이라고 부릅니다.

하지만 5회 전에 경기가 중단되면 노 게임을 선언합니다. 경기 자체가 무효가 되는 것이지요. 그때까지의 기록도 모두 무효가 됩니다. 노 게임이 선언되면 나중에 다시 1회부터 재경기를 합니다.

TIP

최초 연장전 강우 콜드 게임

1991년 7월 16일 잠실구장에서 생긴 일이에요. OB 베어스와 쌍방울 레이더스의 경기 도중 비가 내려 9회 초와 9회 말, 두 번이나 경기를 잠시 중단해야 했어요. 동점 상황이었기에 연장전에 돌입했는데, 10회 초에 다시 비가 많이 내려서 결국 무승부로 경기를 끝냈습니다. 이 경기는 한국 프로야구 최초의 연장전 강우 콜드 게임으로 기록됐답니다.

몰수 경기

몰수 경기(forfeited game)는 심판이 일방적으로 상대 팀에 승리를 선언하는 경기입니다. 심판이 몰수 경기를 선언하는 경우는 다음의 상황들입니다.

- 주심이 경기 시작을 알리고 플레이를 선언했는데도 5분이 지나도록 선수들이 경기장에 나오지 않을 경우(늦어지는 이유를 주심이 인정할 때는 해당 안 됨)
- 경기장에 나왔지만 경기를 거부할 경우
- 일시정지 선언 이후, 주심이 다시 플레이를 선언했는데도 1분 안에 경기를 다시 시작하지 않을 경우
- 경기를 늦추거나 단축하기 위해서 명백하게 옳지 않은 방법을 쓸 경우
- 심판이 경고를 했음에도 고의로 반칙을 반복할 경우

몰수 경기에서 우리는 야구가 스포츠 정신과 예절을 매우 중요하게 여긴다는 것을 알 수 있습니다.

비 덕분에 얻은 노 히트 노 런

비 덕분에 대기록을 세우는 경우도 종종 있습니다. 1993년 5월 13일, 부산 사직구장에서 롯데 자이언츠의 선발 투수 박동희 선수가 무실점으로 팀의 승리를 이끌고 있었어요. 그런데 6회 말에 비가 많이 쏟아지는 바람에 강우 콜드 게임이 선언되었어요. 덕분에 박동희 선수는 9회까지 공을 던지지 않고도 노 히트 노 런(무안타 무실점) 기록을 세울 수 있었답니다.

춤을 추는 듯한 갖가지 사인들

야구 경기에서 감독이나 포수가 손이나 손가락을 움직이며 사인(신호)을 보내는 장면을 종종 보게 되죠? 이 사인은 선수들에게 내리는 작전 지시예요. 팀마다 표현하는 지시 사항이 다 다르고 복잡해요. 멀리서 보면 마치 춤을 추는 것 같아서 관중에게는 즐거운 볼거리가 되기도 한답니다.

같은 사인을 오랫동안 사용하면 상대 팀이 사인의 의미를 알아챌 수 있기 때문에 자주 바꿉니다. 프로야구에서는 보통 3연전이 끝나거나 선수가 다른 팀으로 가게 됐을 때 사인을 바꾼답니다. 때로는 선수가 바뀐 사인을 파악하지 못해서 엉뚱한 결과가 나오기도 해요.

사인은 어떻게 만들까?

사인은 대개 겨울철 전지훈련 때 감독과 코치가 함께 개발해요. 거울 앞에 서서 코나 귀, 어깨와 팔, 모자의 챙 등을 만지면서 다음 시즌 때 사용할 사인을 구상하지요. 이렇게 고민하며 만들어도 상대 팀에서 눈치챌 수 있기 때문에 1개의 작전 지시를 내리기 위해 일고여덟 번의 눈속임 사인을 보내기도 한답니다. 그것을 알아채는 선수들도 대단하죠?

감독이 보내는 사인

감독은 주로 주자가 나가 있을 경우에 타자에게 사인을 보내지만, 종종 주자가 없는 경우에도 타석의 타자에게 사인을 보내요. 그중 대표적인 것들을 소개해 볼게요.

- **웨이팅 사인(waiting sign)** 공을 치지 말고 기다리라는 사인
- **히트 앤드 런 사인(hit and run sign)** 공을 쳐서 베이스의 주자를 진루시키라는 사인
- **런 앤드 히트 사인(run and hit sign)** 좋은 공이 오면 타자는 치고 주자는 무조건 달리라는 사인
- **희생 번트(sacrifice bunt)** 번트를 대서 베이스의 주자를 다음 베이스로 진루시키라는 사인

복잡한 사인들, 어떻게 외우지?

선수들은 감독의 복잡한 사인들을 어떻게 외울까요? 그런데 의외로 간단해요. 복잡한 사인 가운데 요점만 찾으면 된다고 해요. 예를 들어서 '히트 앤드 런' 사인이 코를 만지는 것일 때, 감독이 아무리 손을 현란하게 움직이며 복잡한 사인을 하더라도 코를 만지는 동작이 있으면 히트 앤드 런을 지시한 것입니다. 코를 만지지 않았다면 히트 앤드 런 작전을 지시하지 않은 것입니다.

3회

포수가 보내는 사인

포수가 투수에게 보내는 사인은 공의 성질과 방향을 지시하는 것이랍니다. 타자 바깥쪽으로 높고 빠른 직구를 던지라거나 몸 쪽으로 낮게 떨어지는 변화구를 던지라는 등의 지시를 사인으로 보내는 것이지요. 포수는 주로 손가락으로 투수에게 사인을 보내요. 예를 들어 검지를 펴면 직구를 의미하고, 주먹을 쥐면 변화구를 의미하는 식으로 투수와 포수가 미리 사인을 정해요. 또 투수에게 베이스에 있는 주자를 향해 견제구를 던지라는 사인을 보낼 때는 새끼손가락을 펴면 1루에, 엄지손가락을 펴면 3루에 견제구를 던지라는 식으로 사인을 만들어요.

피치컴(pitchcom)

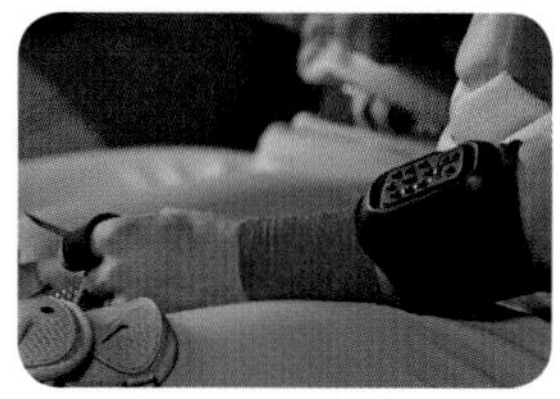

투수와 포수가 무선 통신 시스템을 사용해 사인을 주고받는 것이에요. 주로 포수의 레그가드에 달린 리모콘으로 사인을 보내면 투수가 귀에 꽂은 장치를 통해 전달받아요. 메이저리그에서는 2022년부터 피치컴 사용이 승인됐고, 우리나라에서도 2024년부터 피치컴이 등장했어요. 상대 팀의 사인 훔치기를 방지하고 경기 진행을 빠르게 하는 효과가 있지요.

나는 미래의 최고 타자!

이름: 유승훈
소속: 리틀 야구단, 6학년
포지션: 왼손잡이 4번 타자
훈련 방법: 요즘은 타격 훈련에 매진하고 있어요. 사실 투수가 던진 공을 타자가 방망이로 맞히는 것은 여간 어려운 일이 아니에요. 감독님은 "허공에서 점과 점이 만나는 것"이라고 설명하셨지요. 날아오는 공을 방망이로 잘 맞히기 위해 저는 다섯 가지의 타격 훈련을 하고 있습니다.

첫째: 스윙 훈련! 머릿속으로 공이 날아오는 것을 상상하며 허공에 방망이를 휘두르는 연습이에요. 스윙 훈련을 많이 하면 타격 폼이 부드러워지고 방망이의 속도가 빨라져요.

둘째: 다음에는 방망이로 타이어를 치는 훈련을 해요. 야구 영화나 드라마에서 많이 보셨죠? 방망이를 가볍게 쥐고 있다가 타이어를 치는 순간 가장 강한 힘을 주는 훈련이에요. 감독님은 이것을 '임팩트'라고 하셨어요.

셋째: 토스 배팅 훈련을 해요. 옆에서 감독님이 공을 살짝 던져 주시면 방망이로 공을 치는 것이에요. 배팅 감각을 익히는 데 큰 도움이 돼요.

넷째: T배팅 훈련을 해요. 공을 T자 모양의 기구 위에 올려놓고 혼자서 공을 치는 훈련이지요. 타격 자세를 바로잡는 데 도움이 돼요.

다섯째: 프리 배팅 훈련입니다. 직접 그라운드에서 투수가 던져 주는 공을 치는 것이에요. 투수는 제가 치기 좋게 공을 던져 줘요. 투수를 보호하기 위해 마운드 앞에 보호망을 설치하고 연습해요. 열심히 연습하면 저도 언젠가 최고의 타자가 되겠죠?

4회

타자

타순의 비밀

야구 경기에서 어느 선수를 어떤 타순에 배치하느냐는 매우 중요합니다. 팀을 승리로 이끌어야 하는 감독은 1번 타자부터 9번 타자까지 선수들을 신중하게 배치해야 해요. 타자의 특징을 잘 생각해서 타순을 배치해야 경기에서 이길 수 있겠죠?

1 1번 타자

1번 타자는 공격을 시작하는 선수예요. 그래서 출루율이 높아야 해요. 출루율은 타자가 타석에서 베이스로 얼마나 자주 나가는지를 나타내는 수치예요. 즉 안타를 친다거나 볼넷, 상대 실책 등으로 1루로 나갈 확률이 높은 타자여야 하지요. 1번 타자의 특징은 다음과 같아요.

· 스트라이크와 볼을 잘 구별하는 선구안이 있는 선수
· 발이 빨라서 잘 달리는 선수
· 홈런보다는 안타를 많이 치는 선수
· 주자가 되었을 때 수비의 허술한 틈을 타 다음 베이스까지 몰래 가는 도루(stolen bases)로 투수를 혼란스럽게 만드는 선수

유명한 1번 타자로는 SSG 랜더스에서 은퇴한 추신수 선수와 LG 트윈스 홍창기 선수를 꼽을 수 있습니다.

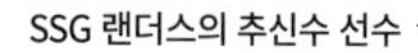
SSG 랜더스의 추신수 선수

2번 타자

작전 수행 능력이 뛰어나야 해요. 1번 타자가 1루 베이스로 나갔다면 한 베이스라도 더 진루하게 만들어야 하기 때문이지요. 보내기 번트를 잘해야 하고, 더블 플레이(double play, 병살)를 당하지 않도록 발도 빨라야 해요. 최근에는 2번 타순에 홈런을 잘 치는, 장타력을 갖춘 선수를 넣기도 해요. 미국 뉴욕 양키스의 데릭 지터 선수가 대표적인 2번 타자입니다.

3번 타자

타격이 정확하고 치밀한 선수여야 합니다. 타자 9명 가운데 타율이 가장 높은 선수가 좋지요. 베이스로 나간 1, 2번 타자가 홈 플레이트까지 오도록 해야 하기 때문입니다. 1, 2번 타자가 아웃된 경우라면, 3번 타자가 베이스로 나가야 스리 아웃이 되지 않아요. 그래야 2루타 이상의 안타를 칠 수 있는 4번 타자와 5번 타자에게 기회를 줄 수 있지요. LG 트윈스의 김현수 선수 등이 3번 타자에 안성맞춤이랍니다.

4번 타자

이승엽 선수

9명의 타자 중 가장 타격이 뛰어난 선수여야 합니다. 타율도 높아야 하지만 장타력을 갖춰서 언제든지 홈런을 칠 수 있는 선수라야 하지요. 전 롯데 자이언츠의 이대호 선수가 가장 적합한 4번 타자예요. 전성기 시절의 이승엽 선수(삼성 라이온즈)도 4번 타자로 손색이 없었답니다.

5번 타자

타율은 조금 낮더라도 장타력과 타점 능력이 있어야 해요.

6번 타자

팀에 따라 6번 타자에 타격이 정확한 타자를 배치하기도 하고 장타력을 갖춘 타자를 배치하기도 합니다.

7번 타자

7번 타자부터는 하위 타순에 들어갑니다. 7번 타자는 1번부터 9번 타자 가운데 8번 타자 다음으로 타율이 낮은 선수가 주로 맡아요. 하지만 포수나 유격수, 2루수 등 수비가 좋은 선수인 경우가 많지요.

8번 타자

타격이 가장 좋지 않은 선수를 배치해요. 하지만 이따금 홈런을 터트리는 타자이기도 하지요. 그래서 8번 타자를 하위 타순의 4번 타자라고 불러요. 7번 타자처럼 수비형 포수나 수비형 내야수가 주로 맡습니다.

9번 타자와 지명 타자

지명 타자 제도가 없는 미국 프로야구 내셔널리그와 일본 프로야구 센트럴리그에서는 보통 투수가 9번 타자를 맡아요.

그러나 지명 타자 제도를 채택하고 있는 한국 프로야구와 미국 프로야구 아메리칸리그, 일본 프로야구 퍼시픽리그에서의 9번 타자는 좀 다릅니다.

9번 타자는 타율은 좀 떨어지더라도 발이 빠르고 콘택트 능력이 좋아 1번 타자가 다음 베이스로 갈 수 있게 해 주는 타자입니다.

지명 타자 제도는 투수의 부담을 덜어 주기 위해서 투수 대신 다른 선수를 타석에 세우는 것입니다. 그래서 공격력이 좋은 4번이나 5번 선수가 주로 타순에 배치됩니다. 단, 지명 타자는 수비를 할 수는 없습니다.

TIP

테이블 세터와 클린업 트리오

'테이블 세터(table setter)'는 밥상을 차리는 사람이라는 뜻으로, 1번 타자와 2번 타자를 가리켜요. 밥상에 음식이 차려져야 밥을 먹을 수 있겠죠? 1, 2번 타자는 가장 먼저 출루해서 득점할 수 있는 기회를 만들어야 하기에 이렇게 불리는 것이지요.

'클린업 트리오(cleanup trio)'는 3, 4, 5번 타자를 합쳐서 부르는 말로, 가장 타격이 좋은 타자들을 일컬어요. 중심 타자 또는 중심 타선이라고도 불러요. 클린업은 '청소'나 '소탕'을 뜻해요. 장타력이 있는 중심 타자들이 안타를 날려서 베이스에 있는 주자들을 모두 홈 플레이트로 돌아오도록 한다는 데서 비롯된 말이지요.

타점과 타율

타점이 뭐예요?

타자가 좋은 플레이를 펼쳐서 베이스에 있던 주자가 홈 플레이트를 밟고 득점했을 때 타자에게 주어지는 점수를 타점이라고 해요. 타자가 안타나 희생 번트, 희생 플라이를 날려 점수가 났다거나 야수 선택이나 땅볼 등을 쳐서 주자가 득점했을 때를 말합니다.

4 회

야수 선택이란

수비수의 판단 오류로 주자가 진루하는 것이에요. 야수는 수비수를 일컬어요. 예를 들어 타자가 친 공을 수비수가 잡아 1루에 던져 타자를 아웃시키지 않고 다른 베이스의 주자를 아웃시키려고 공을 던졌는데, 주자가 세이프된 경우지요. 이로 인해 3루 주자가 홈에 들어와 점수가 나면 타점이 되는 것입니다.

또 주자가 1루, 2루, 3루 베이스에 있는 만루 상황에서 타자가 볼넷(base on balls)이나 몸에 맞는 공(hit by pitched ball) 등으로 1루에 나가고 한 명씩 다음 베이스로 이동하면서 3루 주자가 홈 플레이트를 밟고 득점했을 때도 타점이 인정됩니다.

한국 프로야구
역대 최다 타점은
2008년부터 2024년까지
17년 동안 기록한
최형우(KIA 타이거즈) 선수의
1,651타점이랍니다.

타율은 뭐예요?

학교 시험에서 100문제 가운데 90문제를 맞히면 90점이 되겠죠? 야구에서도 타자가 100번 타석에 서서 90번 안타를 치면 타율이 0.9, 즉 9할이 됩니다. 하지만 야구에서는 타율이 3할만 되어도 훌륭한 타자라고 해요. 30점만 받고도 박수를 받는 거예요.
한국 프로야구 역사상 통산 타율이 가장 높은 선수는 1980년대 삼성 라이온즈에서 뛰었던 고(故) 장효조 선수입니다. 통산 타율은 선수로 뛰었던 기간 전체의 타율을 계산한 것이에요. 장효조 선수의 통산 타율은 3할 3푼 1리로, 100점 만점에 33.1점을 받은 것입니다. 시험 성적이라면 혼날지 모르지만, 야구에서는 30년에 한 번 나올까 말까 한 높은 타율이랍니다.
149년 역사를 가진 미국 프로야구에서도 최고 통산 타율은 타이 콥 선수의 3할 6푼 7리예요.

꿈의 4할 타율

야구에서 4할 타율은 쉽지 않아요. 그래서 '꿈의 4할 타율'이라는 말까지 생겼지요. 그런데 한국 프로야구가 생긴 1982년에 백인천 선수가 4할 1푼 2리의 놀라운 타율을 기록했어요. 백인천 선수는 일본 프로야구에서 활동하다가 한국으로 와서 감독 겸 선수를 맡았어요. 당시만 해도 한국과 일본의 야구 수준 차이가 컸기 때문에 4할 타율에 오를 수 있었지요.

미국 프로야구에서는 4할 타율이 세 번이나 있었어요.
테드 윌리엄스가 1941년, 1952년, 1953년에 세운 기록이지요.

전설의 타자들

일본 프로야구 최다 안타

1981년 5월 28일 일본 가와사키 구장 경기에서 일어난 일이에요. 일본 롯데 오리온스의 장훈 선수가 네 번째 타석에 서서 방망이를 힘차게 휘둘렀어요. 포물선을 크게 그리며 날아간 공은 구장 오른쪽 꼭대기의 그물에 맞고 떨어졌습니다. 그물이 없었다면 장외홈런이었지요. 일본 프로야구 최초 대기록인 개인 통산 3,000안타 기록이 세워지는 순간이었습니다. 장훈 선수는 베이스를 돌며 헬멧을 하늘 높이 던졌어요. 순간 100만 재일 동포들의 가슴도 기쁨으로 벅차올랐지요. 한국에서도 이 모습을 텔레비전 광고로 제작하며 함께 기뻐했답니다. 장훈 선수는 23년 동안 3,085개의 안타를 기록했습니다. 일본 프로야구에서 이 기록은 30년이 지난 지금까지도 깨지지 않고 있습니다.

한 시즌 최다 홈런 세계 기록

2001년 미국 메이저리그의 배리 본즈(샌프란시스코 자이언츠) 선수가 기록한 73개입니다.

샌프란시스코 자이언츠의 배리 본즈 선수

한 시즌 최다 홈런 아시아 기록

2003년 이승엽 선수(전 삼성 라이온즈)가 56개의 홈런으로 아시아 신기록을 세웠지만, 2013년 60개의 홈런을 친 일본 프로야구 블라디미르 발렌틴(야쿠르트 스왈로스) 선수에 의해 이 기록이 깨졌습니다.

이승엽 선수

NC 다이노스의 손아섭 선수

한국 프로야구 통산 최다 안타 기록

손아섭 선수(NC 다이노스)가 2007년부터 2024년까지 기록한 2,511개입니다.

한국 프로야구 한 시즌 최다 안타 기록

2014년 키움 히어로즈의 서건창 선수가 201개 안타를 치면서 역사상 최초로 한 시즌 200 안타 이상을 친 선수가 됐습니다.

이후 2024년 롯데 자이언츠의 빅터 레이예스 선수가 202개의 안타로 서건창 선수의 기록을 넘어섰습니다.

3.35초의 승부, 도루!

야구에는 다른 스포츠에 없는 규칙이 하나 있답니다. 바로 도루예요. 투수가 공을 던지는 사이에 주자가 다음 베이스로 뛰는 것을 도루라고 해요. 영어로 스틸(steal)이라고 하는데, 베이스를 훔친다는 뜻이지요. 그런데 계산상으로만 보면 아무리 발이 빠른 주자라도 도루에 성공할 수가 없습니다.

주자가 뛰는 시간
100m를 12초에 달린다고 가정하면, 2루까지 27.43m 달리는 데 약 3.5초

투수가 던지는 시간
투수의 투구 동작을 포함해서 약 1.35초

포수가 던지는 시간
투수의 공을 받은 포수가 2루로 던지는 데 걸리는 시간은 약 2초

순간을 노리는 감각

하지만 주자가 도루에 성공하는 확률은 70%나 됩니다. 어떻게 이게 가능할까요?

느린 변화구를 포착하라 도루를 하기 위해서는 발도 빨라야 하지만 순간적으로 예측하고 달리는 감각이 뛰어나야 합니다. 투수가 빠른 직구가 아닌 느린 변화구를 던지는 순간을 포착해 뛰어야 하니까요.

멋진 슬라이딩도 필수 상대 팀 수비의 태그를 피하려면 낮은 자세의 재빠른 슬라이딩에 능숙해야겠지요.

그래서 도루의 요건을 흔히 4S, 즉 스피드(speed), 스타트(start), 센스(sense), 슬라이딩(sliding)이라고 해요. 어느 베이스로 도루하느냐에 따라 2루 도루, 3루 도루, 홈 도루(홈 스틸, home steal)라고 부르지요. 또 작전에 따라서 한 명의 주자가 도루하는 단독 스틸(single steal), 주자 2명이 동시에 도루하는 더블 스틸(double steal), 만루에서 주자 3명이 동시에 도루하는 트리플 스틸(triple steal)이 있습니다.

TIP

최다 도루 기록 선수는?

야구 역사에서 가장 도루를 많이 한 선수는 누구일까요? 미국 메이저리그의 리키 헨더슨(Rickey Henderson) 선수예요. 통산 1,406개로 최다 도루 기록을 보유하고 있답니다. 그는 1979년부터 2001년까지 23년 연속 두 자릿수 도루, 즉 한 시즌에 10개 이상의 도루를 기록했습니다. 한국 프로야구에서는 2009년 은퇴한 전준호 선수가 통산 549개로 가장 많은 도루를 성공시켰어요. 이종범 선수는 1994년 한 시즌 동안 84개의 도루를 기록했고, 1993년에는 한 경기에서 6개의 도루를 성공시키기도 했습니다. 신동주 선수는 1999년 경기 2회 말에 2루와 3루, 홈 도루를 잇달아 성공시키는 진기록을 남겼답니다.

야구의 참맛, 홈런

타자가 친 공이 외야 담장을 넘어가면 홈런(home run)이라고 해요. 홈런을 친 타자가 내야에 있는 1루와 2루, 3루, 홈 플레이트를 모두 밟고 들어오면 득점을 하고, 동료 선수들도 환영해 준답니다.

1~4점까지 내는 짜릿한 홈런!

홈런을 치는 것은 정말 쉽지 않은 일이에요. 그래서 축구의 골이나 농구의 3점 슛 혹은 덩크 슛처럼 짜릿한 쾌감을 줍니다. 홈런은 1점부터 4점까지 받을 수 있고 명칭도 다양해요.

- **솔로 홈런(1점)** 주자가 한 명도 없을 때는 타자가 친 홈런으로 1점 획득
- **투 런 홈런(2점)** 주자가 한 명 있을 때
- **스리 런 홈런(3점)** 주자가 두 명 있을 때
- **만루 홈런(4점)** 1루와 2루, 3루 베이스에 모두 주자가 있을 때
- **연속 타자 홈런(랑데부 홈런 또는 백투백 홈런)** 두 타자가 잇달아 홈런을 칠 때
- **연타석 홈런** 한 타자가 연속해서 치는 홈런
- **끝내기 홈런** 경기의 승패가 결정되는 홈런

- **인사이드 더 파크 홈런(inside the park home run)**

공이 외야 담장을 넘어가지 않아도 홈런이 되는 경우가 있답니다. 땅에 떨어진 공을 수비수들이 잡아서 수비하기 전에 타자가 1, 2, 3루를 지나 홈으로 들어오는 것을 말합니다. 흔히 그라운드 홈런이라고 부르지요. 하지만 상대 수비수의 실수가 있었을 때는 홈런으로 인정되지 않습니다.

최다 홈런 타자는?

미국 프로야구 메이저리그에서 홈런을 가장 많이 친 선수는 배리 본즈입니다. 1986년부터 2007년까지 22시즌 동안 762개의 홈런을 기록했지요. 그 뒤를 행크 애런(755개), 베이브 루스(714개), 알버트 푸홀스(703개), 알렉스 로드리게스(696개)가 잇고 있습니다.

SSG 랜더스의 최정 선수

일본 프로야구에서는 오 사다하루(왕정치)가 1959년부터 1980년까지 22시즌 동안 기록한 868개의 홈런이 최고 기록입니다. 메이저리그 배리 본즈의 기록을 뛰어넘는 통산 최다 홈런이지요. 하지만 미국 프로야구에서는 일본 야구장의 홈런 거리가 짧다는 이유로 이 기록을 인정하고 있지 않습니다.

한국 프로야구 통산 최다 홈런은 최정 선수(SSG 랜더스)의 480개입니다.

나는야 홈런 보이!

타점 1위
장타 1위
최다 안타 3위
득점 4위
최다 홈런 2위

놀라운 기록, 히트 포 더 사이클!

한 선수가 한 경기에서 단타, 2루타, 3루타, 홈런을 순서와 관계없이 모두 친 것을 '히트 포 더 사이클(hit for the cycle)' 또는 '올마이티 히트(almighty hit)'라고 불러요. 네 가지 안타를 돌아가며 모두 쳤다는 뜻이지요. 한국과 일본에서는 사이클링 히트라고 합니다.
한국 프로야구에서는 1982년 6월 12일 오대석 선수가 처음 달성했고, 이후에도 42년 동안 32번이나 히트 포 더 사이클 기록이 나왔습니다. 양준혁 선수는 2차례나 기록했지요. 1996년 김응국 선수는 단타, 2루타, 3루타, 홈런을 차례대로 치는 '내추럴 사이클(natural cycle)'을 기록했고, 강승호 선수는 2023년에 홈런, 3루타, 2루타, 단타를 차례대로 쳐서 '리버스 내추럴 사이클(reverse natural cycle)'을 기록했답니다. 미국 메이저리그에서는 347번, 일본 프로야구에서는 76번이나 있었습니다.

TIP

타격 3관왕

1982년부터 2024년까지 43시즌을 치른 한국 프로야구에서 타격 3관왕은 딱 세 번 나왔답니다. 전 삼성 라이온즈의 이만수 선수(1984년)와 전 롯데 자이언츠의 이대호 선수(2006년, 2010년)가 그 주인공이지요. 이대호 선수는 2010년에 홈런과 타점, 타율을 포함해 타격 7관왕을 차지하기도 했습니다.

훌륭한 투수가 되기 위한 5단계 훈련

이름: 신현우
소속: 리틀 야구단, 5학년
포지션: 좌완투수(왼손으로 공을 던지는 투수)
훈련 방법: 5단계 훈련법

저는 훌륭한 투수가 되기 위해 5단계로 나눠 훈련을 합니다.

1단계: 스트레칭!

야수들도 스트레칭을 하지만 특히 투수는 몸을 가장 많이 움직이기 때문에 손목과 어깨 등 온몸을 골고루 풀어 줘야 합니다. 발 차기나 제자리 뛰기도 하지요. 재미있는 동작도 많아요. 투수는 공을 던질 때 무릎을 자주 들어 올렸다 내렸다 해서 몸을 풀 때 무릎을 높이 들어 올리는 연습을 해요.

2단계: 달리기!

류현진 선수가 겨울 훈련할 때 달리는 모습을 많이 보셨죠? 하체가 튼튼해야 빠른 공을 던질 수 있기 때문에 투수들도 달리기를 많이 합니다. 처음에는 그라운드를 천천히 돌다가 30m 또는 50m 거리를 전력 질주하는 훈련을 합니다.

3단계: 투구(피칭) 훈련!

양손을 머리 뒤로 넘겼다가 공을 던지는 와인드업 피칭을 10번 한 다음, 양손을 가슴 앞에 모았다가 공을 던지는 세트 포지션 피칭을 10번 해요.

4단계: 섀도 피칭!

또 틈나는 대로 야구공을 쥔 채 머릿속으로 자신의 투구 동작을 그리면서 공을 던지는 시늉만 하는 섀도 피칭 연습을 해요. 밤에는 손에 수건을 쥐고 커다란 거울 앞에서 투구 동작을 취하는 훈련도 빠짐없이 하고 있습니다.

5단계: 다양한 견제구 훈련!

투수는 공만 잘 던진다고 끝이 아닙니다. 저 같은 투수들은 견제구 훈련, 강습 타구, 땅볼 타구, 번트 타구, 베이스 커버 훈련도 자주 합니다.

5회

투수

투수 유형

야구 경기에서는 투수가 차지하는 비중이 큽니다. 투수가 공을 얼마나 잘 던지느냐 못 던지느냐에 따라서 경기의 승패가 결정되는 경우가 많기 때문입니다. 투수의 역할이 워낙 중요해서 '야구는 투수 놀음'이라는 말이 있을 정도지요.

왼손 투수는 좌완투수, 오른손 투수는 우완투수라고 부릅니다. 투수는 공을 던지는 자세에 따라서 네 가지 유형으로 나뉘어요.

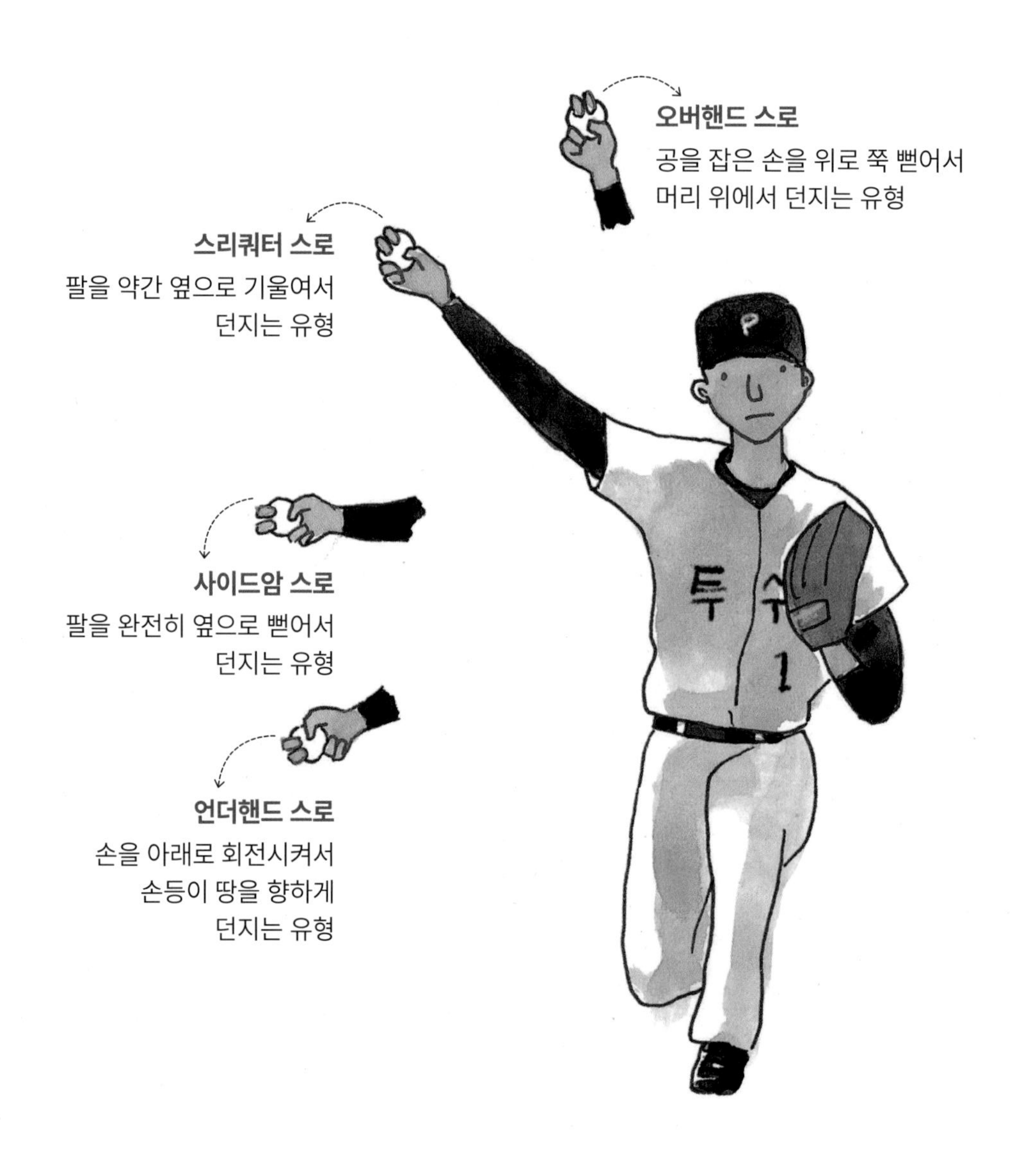

흔히 빠른 공을 주 무기로 삼는 투수는 정통파, 변화구를 주로 던지는 투수는 기교파로 구분합니다. 오버핸드 스로와 스리쿼터 스로를 즐기는 투수 중에는 정통파가 많고, 사이드암이나 언더핸드 스로는 주로 기교파 투수들이 사용하는 투구법이라고 할 수 있어요.

그런데 사이드암이나 언더핸드 스로를 던지는 투수 중에는 왼손잡이 투수가 거의 없답니다. 왜 그럴까요? 타자의 60% 정도가 오른손잡이인데, 왼손잡이 사이드암 투수나 언더핸드 투수의 공은 오른손 타자가 쉽게 쳐 낼 확률이 높기 때문이에요.

마음대로 공을 던지는 언더핸드 스로 투수

네 가지 투구 자세 가운데 가장 재미있는 것은 언더핸드 스로예요. 공을 아래쪽에서 던진다고 해서 잠수함 투구라고도 하지요.
일본 프로야구의 전 지바 롯데 선수인 와타나베 슌스케가 언더핸드 스로 투수예요. 그는 손이 거의 땅에 닿을 듯 낮게 공을 던져요. 이렇게 던졌을 때 공의 최고 속도는 곧게 나가는 경우에도 시속 130km를 넘지 못해요. 변화구는 겨우 시속 100km 안팎에 불과하지요. 그럼에도 와타나베는 팀에 승리를 안겨 주는 뛰어난 투수랍니다. 직구와 변화구를 타자의 몸 쪽과 바깥쪽으로 마음대로 던질 수 있기 때문이에요.

타자를 아웃시키는 투수의 능력

투수가 타자를 아웃시키는 방법은 삼진 아웃과 땅볼 아웃, 플라이 아웃, 세 가지가 있어요.

삼진 아웃 투수가 수비수의 힘을 빌리지 않고 타자를 아웃시키는 방법입니다. 스트라이크 3개면 삼진 아웃이 되지요.

땅볼 아웃과 플라이 아웃 투수가 수비수의 힘을 빌려서 아웃시키는 방법입니다.
투수가 던진 공을 타자가 방망이로 쳐서 땅볼이나 플라이 볼이 되었지만, 수비수가 잡은 경우입니다.

훌륭한 투수의 세 가지 요건

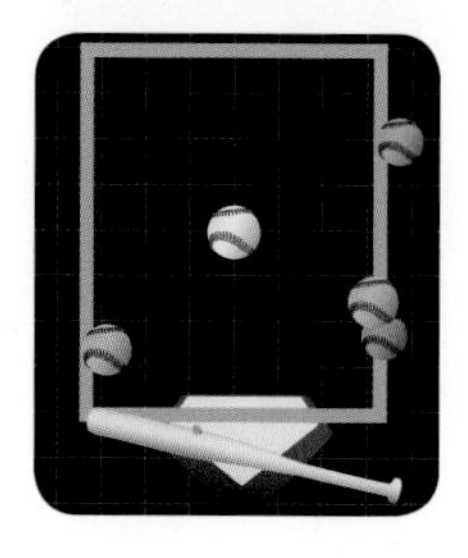

투수가 타자에게 출루를 허용하는 경우는 안타, 볼넷, 몸에 맞는 공, 실책 등이 있습니다. 몸에 맞는 공은 투수가 타자의 몸에 공을 맞힌 경우이고, 실책은 타자가 친 공을 수비수의 실수로 놓친 경우입니다.

평균자책점은 투수가 한 경기, 즉 9회까지 공을 던질 때 평균 몇 점을 상대 팀에 내주는지 따져 보는 계산법입니다. A라는 투수의 평균자책점이 3.50이라면 '투수 A는 9회까지 한 경기의 공을 모두 던졌을 때 평균 3.5점을 허용한다'는 뜻입니다.

탈삼진은 투수가 이끌어 낸 삼진 아웃을 말합니다. 다승과 평균자책점, 탈삼진은 훌륭한 투수를 가리는 세 가지 요건이랍니다.

투수 3관왕

투수 3관왕은 다승, 평균자책, 탈삼진, 세 부문에서 1위에 오르는 것을 말합니다. 역대 투수 3관왕은 선동열, 류현진(한화·2006년), 윤석민(KIA·2011년), 에릭 페디(NC·2023년), 이 4명뿐입니다. 선동열 선수는 무려 네 번이나 투수 3관왕을 기록했지요. 1986년에 한국 최초로 투수 3관왕에 오른 뒤 1989년부터 1991년까지 3년 연속 투수 3관왕에 올랐답니다.

승리 투수!

공을 잘 던져서 팀이 이기는 데 결정적인 역할을 한 투수는 승리 투수(winning pitcher)가 됩니다. 승리한 팀에서 여러 명의 투수가 경기에 나왔어도 승리 투수의 영예는 단 한 명에게만 주어집니다. 어떤 투수가 승리 투수가 되는지는 조금 복잡해요.

주로 선발 투수로 나와 5회 이상 공을 던지면서 자기 팀이 앞서고 있고, 경기가 끝날 때까지 역전을 허용하지 않고 이기는 경우에 승리 투수가 됩니다. 또 중간에 나온 투수지만 공을 잘 던지고 팀이 역전해서 이겼을 경우에도 가능합니다. 선발 투수가 5회 이전에 교체됐지만 팀이 승리한 경우에는 뒤이어 나온 투수들 가운데 가장 잘 던진 투수가 승리 투수가 됩니다. 즉 승리 투수가 되려면 투수만 공을 잘 던져서 되는 것이 아니고, 타자와 수비수들이 협력해서 팀이 이겨야 하지요.

패전 투수는 승리 투수의 반대 개념이에요. 진 팀에서 여러 명의 투수가 나왔어도 패전 투수는 한 명만 지명합니다. 보통 팀이 한 번도 역전하지 못하고 졌을 때는 선발 투수가 패전 투수가 됩니다. 팀이 앞서다가 중간에 역전을 당하면 역전당한 투수가 패전 투수가 되지요.

TIP

공 하나에 웃고 우는 투수들

야구에서는 공을 한 번만 던지고도 승리 투수가 될 수 있고, 반대로 패전 투수가 될 수도 있답니다.

2019년, 한국 프로야구 두산 베어스와 KIA 타이거즈의 경기에서 일어난 일입니다. 교체되어 올라온 두산 베어스의 김승회 투수는 공을 한 번 던져 타자를 아웃시켰는데, 다음 회에 팀이 역전승하는 바람에 승리 투수가 되었답니다. 이런 경우는 한국 프로야구 42년 역사에서 23번이나 나왔습니다.

반대로 공을 한 번만 던졌는데 패전 투수가 된 경우도 12번이나 있었습니다. 2019년, 준플레이오프 1차전에서 LG 트윈스의 고우석 선수가 키움 히어로즈를 상대로 포스트 시즌 첫 1구 패전 투수가 되었습니다.

팀 승리를 위한 구원 투수!

구원 투수(relief pitcher)는 주로 8회나 9회 등 경기 막바지에 팀 승리를 지키기 위해서 교체되어 나오는 투수입니다. 가장 마지막에 나온 구원 투수가 팀의 승리를 지킨 경우, 투수에게는 세이브(save) 기록이 주어집니다.
하지만 세이브 기록의 요건은 까다로워요.
첫째, 자기 팀이 3점 차 이내로 앞서고 있을 때 경기에 나와서 1이닝 이상 던졌을 경우이고, 둘째, 베이스에 나가 있는 주자와 상대하는 타자, 그리고 다음 타자까지 모두 득점하면 동점이 되는 상황에서 등판해 팀 승리를 지킨 경우, 셋째는 점수 차와 상관없이 3회 이상 던졌을 경우입니다. 자기 팀이 이기고 있을 때 7회부터 9회까지 던지면 세이브 기록이 주어집니다.

투구 간격

투수가 공을 던진 후 다음 공을 던질 때까지의 시간을 투구 간격 또는 인터벌이라고 해요. 하지만 일반적으로는 타자가 타석에 섰을 때 투수의 정지 자세부터 공을 던지기 전까지의 시간을 말하지요. 투구 간격이 길면 타자와 주자가 투수의 투구 타이밍을 예측하기 어려워 도루를 함부로 하지 못해요. 그래서 어떤 투수들은 일부러 시간을 끌기도 한답니다.

이 때문에 생긴 규칙이 일정한 시간 안에 투구를 해야 하는 '피치 클락'입니다.

투구 간격이 너무 길면 야구팬들도 지루해하니까요.

TIP

공에 상처를 내면 안 돼요.

로진을 바르면 공이 안 미끄러워요

투수는 공을 던지기 전에 공에 상처를 내거나 침, 진흙, 모래 등을 발라서는 안 돼요. 공에 입김을 부는 것도 금지되어 있지요. 투수가 이런 행동을 하면 심판이 경고를 해요. 그런데도 계속 반복하면 퇴장당할 수도 있어요.
공을 맨손으로 문지르는 것은 괜찮습니다. 미끄러움을 방지하는 용도로 투수가 손에 로진이라고 하는 하얀 가루를 바르는 것은 허용됩니다.

투수의 광속구

투수가 시속 140~150km로 공을 던졌을 때, 투수의 손을 떠난 공이 포수 미트에 들어갈 때까지 걸리는 시간은 0.43~0.46초밖에 되지 않아요. 시속 160km의 '광속구'는 0.4초밖에 걸리지 않지요. 정말 '눈 깜짝할 사이'죠?

괴물 투수

전 세계에서 어떤 투수의 공이 가장 빠를까요? 메이저리그의 전설적인 투수 놀란 라이언(Nolan Ryan)은 1974년에 시속 162.5km의 투구를 기록했습니다. 이 기록은 20년 동안 깨지지 않다가 1994년 롭 넨(Robert Allan Nen)이 시속 164.1km를 기록하면서 깨졌어요. 하지만 넨의 기록도 시속 167.3km를 기록한 조엘 주마야에 의해 9년 만에 깨졌답니다.

그 후 2010년 아롤디스 채프먼이 시속 170.3km를 기록해 역대 최고 기록을 경신했습니다.

한국 선수 중에는 박찬호 선수가 1996년에 시속 160.9km를 기록했습니다. 그런데 스피드건(공의 속도를 측정하는 기구)마다 측정 기록이 제각각이어서 어떤 투수의 공이 가장 빠른지 공식 기록이라는 것은 없답니다.

5회

변화구

투수가 던진 공은 보통 직구나 변화구로 날아가요. 직구는 변화를 주지 않고 직선으로 곧게 던지는 공을 말하고, 변화구는 날아가는 방향이 변하도록 던지는 공입니다.
야구공의 방향은 어떻게 바꿀 수 있을까요?

공을 어떻게 쥐는가에 따라 달라요

야구공의 솔기 수가 108개라고 했지요? 이 솔기 때문에 야구공의 방향이 변화무쌍하게 바뀌어요. 투수가 야구공 솔기를 기준으로 어떻게 공을 쥐고 던지느냐에 따라서 공의 방향과 성질이 결정되지요. 예를 들어 야구공 솔기에 4개의 손가락을 걸쳐 던지면 평범한 직구가 되고, 솔기 2개에 손가락을 걸쳐 던지면 공이 똑바로 나아가다가 오른쪽으로 살짝 휘어집니다. 이외에도 쥐는 방법에 따라 여러 방향으로 공이 휘어진답니다.

김광현 선수
(구 SK 와이번스, 현 SSG 랜더스)

변화구의 종류

변화구는 갑자기 공의 방향이 바뀌기 때문에 타자가 치기 매우 어렵답니다. 직구인 줄 알고 방망이를 휘둘렀는데 헛스윙을 하는 경우가 많지요.
변화구에도 여러 종류가 있어요.
직구로 던진 공인데 빠르게 날아가다가 타자 앞에서 붕 떠오르는 공도 있어요. 직구로 던질 때 손목에 강한 회전을 주면 이렇게 변한답니다. 빠른 속도로 날아가던 직구가 타자 앞에서 갑자기 속도가 줄기도 해요. 빠른 직구를 예상하고 준비하는 타자를 속이는 공이지요. 또 갑자기 왼쪽이나 오른쪽으로 휘어지는 공도 있습니다.

직구(fast ball)

거의 직선으로 빠르고 위력 있게 날아가는 투구. 공을 어떻게 잡느냐에 따라 포심, 투심 등이 있습니다.

커브(curve)

공은 느리지만 큰 낙폭으로 떨어지는 투구. 고(故) 최동원 선수의 주 무기였습니다.

슬라이드 볼(slide ball)

직구처럼 날아오다가 미끄러지듯이 오른손 타자의 바깥쪽으로 휘어지는 투구. 선동열 선수의 주 무기입니다.

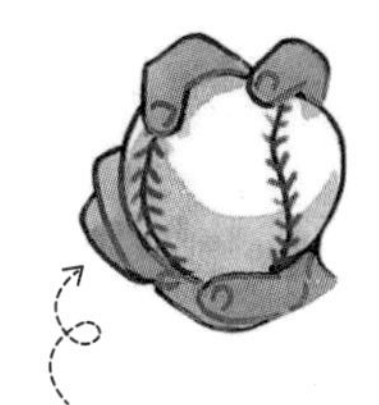

스크루 볼(screw ball)

눈에 보이게 휘지는 않다가 타자의 손목 가까이에서 휘는 변화구.

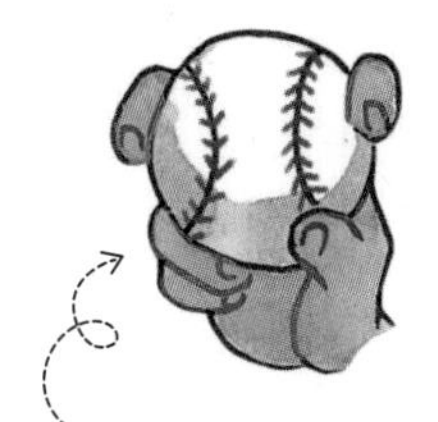

포크 볼(fork ball)

직구처럼 오다가 타자 앞에서 떨어지는 볼. 검지와 중지 사이에 끼고 V 자 모양의 포크처럼 잡습니다.

너클 볼(knuckle ball)

공이 거의 회전하지 않고 둥실둥실 떠가는 듯한 변화구. 축구의 무회전 킥과 비슷합니다.

매니큐어를 바르는 투수

투수들은 공을 많이 던지기 때문에 손톱이 갈라지거나 깨지기 쉬워요. 그래서 손톱 손질을 자주 하고, 손톱이 깨지거나 갈라지지 않도록 매니큐어도 바른답니다. 투수의 손을 자세히 보면 검지나 중지에 매니큐어 칠한 것을 쉽게 볼 수 있을 거예요.

팜 볼(palm ball)

스피드가 없는 변화구로, 타자 앞에서 뚝 떨어지는 볼.

체인지업(changeup)

직구처럼 보이지만 속도가 느리고 타자 앞에서 천천히 떨어져 타자를 현혹시키는 변화구. 류현진 선수의 주 무기입니다.

퍼펙트 게임!

노 히트 노 런(no hit no run)은 투수가 9회까지 상대 팀의 안타를 하나도 허용하지 않고 점수를 1점도 내주지 않은 채 승리하는 경기입니다. 볼넷이나 몸에 맞는 공, 수비수 실책 등으로 주자가 베이스를 밟는 것은 안타로 출루한 것이 아니기 때문에 관계없어요.

그런데 노 히트 노 런 경기보다 훨씬 어려운 경기가 있어요. 바로 퍼펙트 게임(perfect game)입니다. 투수가 1회부터 9회까지 타자를 완벽하게 아웃시키고 이긴 게임을 말해요. 안타는 물론, 다른 실책도 없어서 어떤 타자도 1루로 나가게 하지 않은 경기입니다.

보크

주자가 베이스에 있을 때 투수가 규칙에 맞지 않게 투구 동작을 하는 것을 보크(balk)라고 해요. 보크가 되는 경우는 다양해요. 주로 잘못된 동작으로 주자를 견제하는 경우가 가장 많지요. 또 투수가 투수판을 밟은 상태에서 공을 던지는 흉내만 내고 실제로 던지지 않는 행동, 투수가 투수판을 밟지 않고 공을 던지는 등의 행동을 하면 보크가 선언된답니다. 보크가 선언되면 베이스의 주자가 다음 베이스로 자동 진루할 수 있습니다.

퍼펙트 게임을 달성하는 것은
노 히트 노 런을 기록하는 것보다 40배나 어렵답니다.

아깝게 놓친 퍼펙트 게임

2010년 미국 프로야구에서 메이저리그 통산 21번째 퍼펙트 게임이 나올 뻔했어요. 좌완 투수 댈러스 브래든이 그 주인공인데, 안타깝게도 9회 투아웃에서 심판의 잘못된 판정으로 대기록은 세워지지 않았습니다. 비디오 판독 결과 아웃인데 세이프를 선언한 것이었어요. 심판은 경기가 끝난 뒤 "인생에서 가장 큰 실수였다."라며 사과했다고 해요. 하지만 투수는 퍼펙트 게임은 물론, 노 히트 노 런 기록까지 놓쳐 버렸답니다.

퀄리티 스타트

한화 이글스 소속 당시 류현진 선수

퀄리티 스타트(quality start)는 선발 투수가 6이닝 이상 공을 던지면서 자책점을 3점 이하로 기록한 것을 말해요. 팀이 경기에서 졌어도 선발 투수가 퀄리티 스타트를 기록하면 자신의 역할은 다한 것으로 봅니다. 그래서 퀄리티 스타트는 투수의 능력을 평가하는 잣대가 된답니다.

류현진 선수는 한화 이글스 선수 시절인 2009년 8월 19일부터 2010년 8월 17일까지 29경기 연속 퀄리티 스타트를 기록하는 세계 신기록을 세웠어요. 2010년 한 시즌에만 23경기 연속으로 퀄리티 스타트를 기록했답니다.

메이저리그에서는 밥 깁슨(세인트루이스 카디널스) 선수가 1967년부터 1968년까지 26경기 연속으로 퀄리티 스타트를 기록했어요. 한 시즌 최다 기록은 2018년 제이크 디그롬(뉴욕 메츠)이 세운 24경기입니다.

TIP

노 히트 노 런 기록

한국 야구에서 최초의 노 히트 노 런 기록은 1935년 휘문고보(지금의 휘문고등학교)의 송재경 투수가 세웠습니다. 1982년에 한국 프로야구가 생긴 뒤 한국 시리즈까지 합쳐 총 14명의 선수가 노 히트 노 런을 기록했답니다. 메이저리그에서는 지금까지 325차례, 일본 프로야구에서는 100차례의 기록이 나왔습니다. 메이저리그의 놀란 라이언 선수는 무려 일곱 번이나 노 히트 노 런을 기록했다니 정말 놀랍죠?

TIP

비디오 판독

한국 프로야구에서는 2009년부터 비디오 판독을 실시했습니다. 당시에는 홈런인지 아닌지, 파울인지 아닌지를 주로 확인했지만, 이제는 아웃인지 세이프인지까지도 확인하고 있습니다. 2024년 시즌부터는 ABS로 스트라이크 또는 볼을 판정하고 있습니다. 미국 메이저리그에서도 비디오 판독이 점차 확대되고 있습니다. 앞으로는 로봇 심판까지 등장할지도 몰라요.

전설적인 투수들

사이 영(Cy Young)

미국 메이저리그에서 가장 공을 많이 던진 투수입니다. 22년 동안 무려 7,354회 공을 던졌고, 한 시즌에 평균 334회 공을 던졌습니다. 모두 906경기에 나섰는데 그중 815경기에 선발 투수로 나섰고, 1회부터 9회까지 혼자서 공을 던지는 완투도 749차례나 했답니다. 통산 511승으로 최다승 기록도 가지고 있는 전설적인 투수입니다.

놀란 라이언(Nolan Ryan)

메이저리그 역사상 타자들이 가장 두려워했던 투수입니다. 통산 5,714개의 삼진을 이끌어 냈는데, 2위 랜디 존슨과의 차이가 무려 839개나 됩니다. 텍사스 레인저스에서 그의 등번호인 34번은 팀 최초로 영구결번이 되었답니다.

김경홍

일본 프로야구에서는 통산 최다 이닝(5,526이닝)과 최다승(400승)의 기록을 모두 한 명의 재일 동포 선수가 가지고 있습니다. 바로 1950년부터 1969년까지 20년 동안 그라운드를 누빈 김경홍 선수랍니다.

선동열

한국 프로야구에서 최고의 투수를 꼽으라면 많은 사람이 선동열 선수를 떠올립니다. 선동열 선수의 평균자책점(1.20)과 승률(78.5%), 완봉승 수(79번)는 깨지기 힘든 기록으로 남을 것입니다. 승률은 이긴 비율을 말해요. 투수의 승률은 투수가 승리한 경기 횟수를 승리와 패전을 합한 경기 횟수로 나누어서 계산해요. 완봉승은 투수가 1회부터 9회까지 상대팀에 1점도 주지 않고 승리한 것을 말해요.

송진우

2009년에 은퇴한 송진우 선수는 한국 프로야구 최초로 통산 3,000회가 넘게 공을 던진 투수입니다. 통산 210번 승리해서 한국 최다승이라는 기록도 가지고 있답니다.

TIP

살아 있는 전설, 이도류 오타니 쇼헤이

오타니 쇼헤이는 2016년 일본 프로야구 닛폰햄 파이터스를 재팬 시리즈 우승으로 이끌며 퍼시픽리그 MVP를 차지한 선수입니다.

이후 2018년 로스앤젤레스 에인절스에 입단해 아메리칸리그 신인상, 10승-40홈런 달성, 아시아 출신 최초의 홈런왕 달성, 메이저리그 최초로 만장일치 MVP 2회 수상, 메이저리그 최초 50-50(홈런과 도루 50개 이상 달성)을 기록한 '살아 있는 전설'입니다.

2023 월드 베이스볼 클래식에서는 일본의 우승을 이끌며 대회 MVP로 선정됐지요.

투수와 타자 두 역할을 모두 소화하는 오타니의 별명은 '이도류'입니다. 양손에 칼을 쥐고 있다는 뜻입니다.

LA 다저스의 오타니 쇼헤이 선수

최강 수비수가 될 테야!

이름: 박태웅
소속: 리틀 야구단, 6학년
포지션: 포수

이름: 김영훈
소속: 리틀 야구단, 5학년
포지션: 좌익수

우리들의 수비 훈련법

기초 훈련 수비 훈련의 기본은 야수끼리 공을 던지고 받는 캐치볼이에요. 정확한 송구(공을 자기 편에 던지는 것)와 정확한 포구(공을 잡는 것)는 수비를 강하게 만드는 기초입니다. 캐치볼이 끝나면 펑고 훈련이 이어집니다. 감독님이 방망이로 공을 쳐 주면 야수들이 잡는 훈련이지요.

포지션별 훈련법 수비 훈련은 포지션에 따라 다양해요. 내야수들은 땅볼을 잡는 훈련을 많이 하고, 외야수들은 플라이 볼을 잡는 연습을 주로 하지요. 그런데 내야수도 위치에 따라 훈련 방식이 조금씩 달라요.

좌익수: 좌익수는 다른 내야수가 던지는 공을 잘 잡는 훈련을 많이 해요. 송구가 높을 때도, 낮을 때도 있고 원 바운드로 오는 경우도 있기 때문에 어떤 송구건 잘 잡는 훈련이 필요해요.

2루수와 3루수, 유격수: 한 번에 타자와 주자를 모두 아웃시키는 더블 플레이 훈련도 합니다. 예를 들어 주자가 1루에 있을 때 타자가 친 공이 유격수 앞 땅볼이면 유격수는 2루로 공을 던져 주자를 아웃시키고, 이어 2루수는 1루로 공을 던져 달려오는 타자까지 아웃시키는 훈련이지요.

외야수: 평범한 플라이 볼을 잡는 훈련부터 머리 위를 넘어가는 공을 잡는 훈련, 또 외야수 앞으로 굴러가는 공(안타)을 잡아 홈으로 강하고 빠르게 던지는 훈련을 해요.

6회

야수

다이아몬드 안의 내야수

수비 팀 9명의 선수는 각각 자리가 정해져 있어요.

그중에서 가장 중요한 포지션은 투수고, 두 번째로 중요한 포지션은 포수예요.

나머지 선수들은 크게 내야수와 외야수로 구분합니다. 내야수(infielder)는 1루수, 2루수, 3루수, 유격수를 가리켜요. 외야수(outfielder)는 우익수, 좌익수, 중견수를 말해요. 내야수와 외야수를 통틀어 '야수(fielder)'라고 부른답니다.

6회

안방마님 같은 포수의 역할

투수를 아버지에 비유한다면 포수는 어머니라고 할 수 있어요. 그래서 포수를 재미있게 '안방마님'이라고 부른답니다. 포수는 무거운 장비를 몸에 걸친 채 앉고 서기를 반복해야 해서 체력 소모가 가장 많은 포지션입니다.

포수의 역할은 다양하고 또 중요해요.

공의 성질과 방향을 정해요

포수는 단순히 투수의 공을 받는 것에 그치지 않고, 투수에게 어떤 공을 던질지 사인을 보내는 역할을 합니다. 투수와 포수는 상대 팀이 알지 못하도록 미리 자신들만의 사인을 정해서 주고받아요. 둘 사이의 사인이 맞지 않으면, 장타를 맞거나 실점을 하기도 합니다.

주자의 도루를 막아요

포수의 또 다른 중요한 역할은 주자의 도루를 막는 것입니다. 포수가 투수에게 주자를 견제하라는 사인을 보내면 투수는 1루나 2루, 3루로 견제구를 던집니다. 주자가 도루를 할 때 주자를 아웃시키기 위해서 포수가 2루나 3루로 공을 던지기도 해요.

TIP

전설의 포수 '요기 베라'

본명은 로렌스 피터 베라(Lawrence Peter Berra). 뉴욕 양키스의 영구결번(8번) 포수! 우승 반지만 10개이고 통산 MVP 3회, 통산 올스타 선정 18회의 전설적인 선수랍니다. 감독으로도 양대 리그를 모두 우승한 명장입니다. 요기는 중학교 2학년까지만 학교를 다녔지만 문법에는 맞지 않아도 유명한 명언을 많이 남겼답니다. 뉴욕 메츠 감독을 맡고 있던 1973년에는 "끝날 때까지 끝난 게 아니다(It ain't over till it's over)."라는 멋진 명언을 남겼습니다.

스트라이크 아웃 낫 아웃

투수가 던진 세 번째 스트라이크를 포수가 받지 못하면 삼진 아웃이 되지 않고, 스트라이크 아웃 낫 아웃(strike out not out)이 선언됩니다. 포수가 공을 놓치면 타자는 아직 '아웃되지 않은(not out) 상태'이기 때문에 1루까지 달릴 수 있답니다. 이때 포수는 놓친 공을 잡아서 타자의 몸에 공을 대거나 타자가 1루에 도착하기 전에 1루로 공을 보내야 아웃으로 인정됩니다. 단, 노 아웃이나 원 아웃에서는 1루에 주자가 없을 경우에만 낫 아웃이 됩니다.

타격 방해

포수는 스트라이크 존으로 들어오는 공을 치려고 하는 타자를 방해해서는 안 됩니다. 이런 타격 방해는 보통 포수가 타자 가까이에 있을 때 많이 일어납니다. 가장 흔한 경우는 타자가 방망이를 휘두르는 순간에 포수가 미트를 내밀어 방망이에 닿을 때입니다. 타격 방해가 선언되면 타자는 무조건 1루로 갈 수 있답니다.

공을 많이 잡는 1루수

포수가 가장 어려운 포지션이라면 가장 쉬운 포지션은 1루수(first base man)라고 할 수 있어요. 1루수는 1루 베이스 근처에서 땅볼이나 플라이 볼을 잡아서 상대 팀 타자를 아웃시키는 역할이에요. 공을 잡는 능력이 뛰어나야 하지요. 그래서 1루수는 일반적인 글러브보다 길쭉한 미트를 사용합니다. 또 2루수나 3루수, 유격수도 땅볼을 잡아 1루로 자주 던지기 때문에 1루수는 키가 크고 왼손잡이일수록 더 유리하답니다. 대부분 클린업 트리오 가운데 한 선수가 수비 부담이 적은 1루수를 맡습니다.

스타들의 집합소 1루수

1980년대 OB 베어스의 1루수 신경식 선수는 긴 다리를 쭉 뻗어 공을 잡아서 '학 다리'라는 별명을 얻었어요. 또 1990년대 LG 트윈스의 김상훈 선수와 OB 베어스의 김형석 선수는 각각 '미스터 LG'와 '미스터 OB'로 불렸어요. 팀의 프랜차이즈 선수, 즉 팀을 대표하는 스타 선수를 뜻하는 별명이었지요. KIA 타이거즈의 최희섭 선수도 팬이 많은 1루수였어요.

협동하는 2루수와 유격수

유격수 2루 베이스와 3루 베이스 사이에서 수비하는 내야수

2루수 2루 베이스의 오른쪽, 즉 1루 베이스와 2루 베이스 사이에서 수비

2루수(second base man)와 유격수(short stop)는 1루수와 3루수보다 수비 범위가 조금 더 넓어요. 팀에서 발이 빠르고 감각이 뛰어난 선수가 2루수와 유격수를 맡아요.
특히 유격수를 '수비의 꽃'이라고 한답니다.

1루 주자가 2루로 도루할 때, 2루수와 유격수는 포수가 던진 공을 누가 잡을 것인지 미리 약속을 해 두어요. 둘의 호흡이 잘 맞으면 1루에 주자가 있는 상황에서 2루 베이스 근처로 내야 땅볼이 갔을 때, 한 번에 투 아웃을 이끌어 낼 수도 있습니다.
그래서 유격수와 2루수의 조합을 야구 용어로 키스톤 콤비네이션(keystone combination) 또는 키스톤 콤비라고 해요. 또 두 선수의 협동 플레이는 키스톤 플레이(keystone play)라고 하지요.

TIP

쇼트 스톱

1897년, 미국 프로야구 마이너리그 경기에서 헨리 스톱(Henry Stop)이라는 선수가 유격수로 눈부신 활약을 했어요. 헨리 스톱은 키가 165cm 정도로, 운동선수로는 작은 키가 특징이었지요. 그 뒤로 유격수를 헨리 스톱의 작은 키와 이름을 본떠 쇼트 스톱(short stop)이라 불렀답니다.

핫 코너를 지키는 3루수

3루수(third base man)는 3루 베이스 근처를 수비하는 내야수예요. 3루 쪽으로는 주로 빠르고 강한 타구가 많이 날아와요. 그래서 강한 공이 날아오는 뜨거운 지역이라는 뜻으로 3루를 '핫 코너(hot corner)'라고 부르지요.

3루수는 공을 잡기 위한 움직임이 유격수나 2루수보다 적어요. 그래서 발이 느린 선수도 맡을 수 있는 자리예요. 하지만 땅볼을 잡아 1루까지 빠르게 정확히 던져야 하기 때문에 어깨 힘이 강해야 해요.

더블 플레이 주자가 1루에 있는 상황에서 내야로 땅볼이 오면 공을 잡은 내야수가 공을 2루에 던져 주자를 아웃시키고, 이 공을 다시 1루로 던져 달려오던 타자마저 아웃시키는 것이에요. 이것을 더블 플레이(double play)라고 해요.

트리플 플레이(삼중살) 한 번에 스리 아웃을 시키는 플레이예요. 더블 플레이보다 더 멋진 플레이죠? 주자가 2명 이상 있고 아웃이 전혀 없는 상황에서 이루어져요. 주자가 1루와 2루에 있고 타자가 3루 땅볼을 쳤을 때 트리플 플레이(triple play)가 많이 나와요. 3루수가 땅볼을 잡아 3루 베이스를 밟으면 원 아웃, 3루수가 공을 2루에 던지면 투 아웃, 다시 2루수가 1루에 던지면 스리 아웃이 되지요. 쉽게 볼 수 있는 플레이는 아니랍니다.

오른손잡이 4명의 비밀

투수와 포수, 1루수, 2루수, 3루수, 그리고 유격수까지 내야수는 모두 6명입니다. 이 가운데 포수와 2루수, 3루수, 유격수, 이 4명은 반드시 오른손잡이여야 한답니다. 왜일까요?

야구는 다이아몬드 모양의 내야 베이스를 시계 반대 방향으로 돌면서 밟아야 하기 때문입니다. 포수는 주자가 도루할 때 투수의 공을 잡아 2루나 3루로 던집니다. 이때 만약 포수가 왼손잡이면 몸을 왼쪽으로 한 번 더 틀어서 공을 던지는 역동작을 해야 하기 때문에 불편해요. 2루수와 3루수, 유격수도 땅볼을 잡아 1루에 공을 보내기 위해서는 오른손잡이가 훨씬 편합니다.

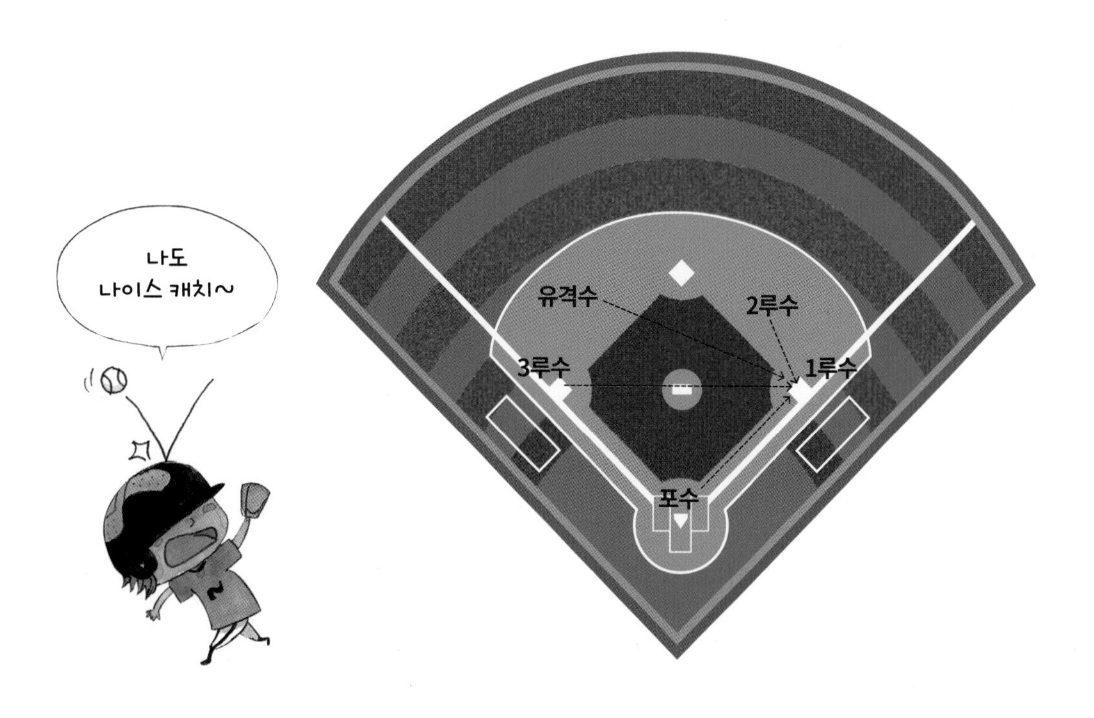

외야수

야구에서 외야수(outfielder)는 외야의 수비를 맡는 선수 3명이에요. 홈 플레이트에서 볼 때 왼쪽을 좌익수, 가운데를 중견수, 오른쪽을 우익수라고 하지요. 내야는 4명이 수비하지만, 내야보다 넓은 외야는 3명이 수비해요. 따라서 외야수는 내야수보다 발이 빠르고 타구의 착지 지점을 정확하게 읽는 능력이 필요합니다.

그래도 외야수는 내야수보다 수비 부담이 적어서 타격이 강한 선수들이 많이 배치된답니다.

중견수(center fielder) 중견수는 수비 능력이 가장 좋아야 해요. 수비 범위도 가장 넓어서 무엇보다 발이 빨라야 합니다.

우익수(right fielder) 자신의 위치에서 가장 멀리 떨어진 3루 베이스까지 정확히 공을 던져야 하기 때문에 어깨 힘이 좋아야 합니다.

좌익수(left fielder) 외야의 왼쪽으로 날아오는 공은 변화구들이 많아서 정확히 잡는 능력이 필요합니다.

재미있는 수비 시프트

수비 시프트(shift)는 수비수들이 타자의 타격 성격을 분석해서 수비 위치를 옮기는 것을 말합니다. 만약 A라는 타자의 타구가 오른쪽으로 많이 날아간다면 수비수들이 오른쪽에서 집중 수비하는 방식이지요. 그럴 경우, 3루수는 유격수 위치로 이동하고, 유격수는 2루 베이스 근처로, 2루수는 1루 베이스 쪽으로 더 다가가 수비합니다. 외야수도 마찬가지로 오른쪽으로 이동해 수비를 하지요. 만약 공을 멀리까지 치지 못하는 타자라면 외야수는 내야로 바짝 다가와 수비합니다. 이러한 위치 변화를 수비 시프트라고 합니다.

6
회

리틀 야구와 어른들의 야구는 어떻게 다를까요?

우선 야구장 규격부터 다르답니다. 리틀 야구장은 투수판부터 홈 플레이트까지의 거리가 14.02m이고, 베이스와 베이스 사이의 거리가 18.29m, 외야 담장까지 홈런 거리도 좌우, 중앙 모두 62m로, 어른들 야구장보다 작아요. 경기도 6회까지 하지요.

- 리틀 야구는 부상을 막기 위해서, 팔을 머리 쪽으로 쭉 뻗으며 베이스로 슬라이딩하는 헤드 퍼스트 슬라이딩(head first sliding)을 금지하고 있습니다.
- 투수는 한 경기에서 3이닝 이하로 던져야 해요. 그 이상 던지면 다음 경기에 나올 수 없습니다.
- 도루하려면 주자가 베이스에 발을 대고 있다가 투수가 던진 공을 포수가 잡은 뒤에 달려가야 합니다.

미래에 추신수 선수나 이대호 선수, 류현진 선수 같은 멋진 선수가 될 리틀 야구단!
리틀 야구단에 들어가고 싶다면, 한국리틀야구연맹에서 자세하게 알아볼 수 있답니다.
한국리틀야구연맹 홈페이지 주소는 **littleleague.co.kr**, 연락처는 **031)358-8829** 예요.

참, 전 세계 리틀 야구단 선수들은 경기할 때 모두 리틀 리그 선서를 한답니다.
어떤 선서인지 한번 읽어 볼까요?

나는 나의 조국을 영원히 사랑하며	I trust God I love my country
나는 항상 명랑하고 예의 바르게 씩씩하게 자라서	I will play fair and strive to win but win or lose
나는 국가와 민족을 위해 꼭 필요한 사람이 된다.	I will always do my best.

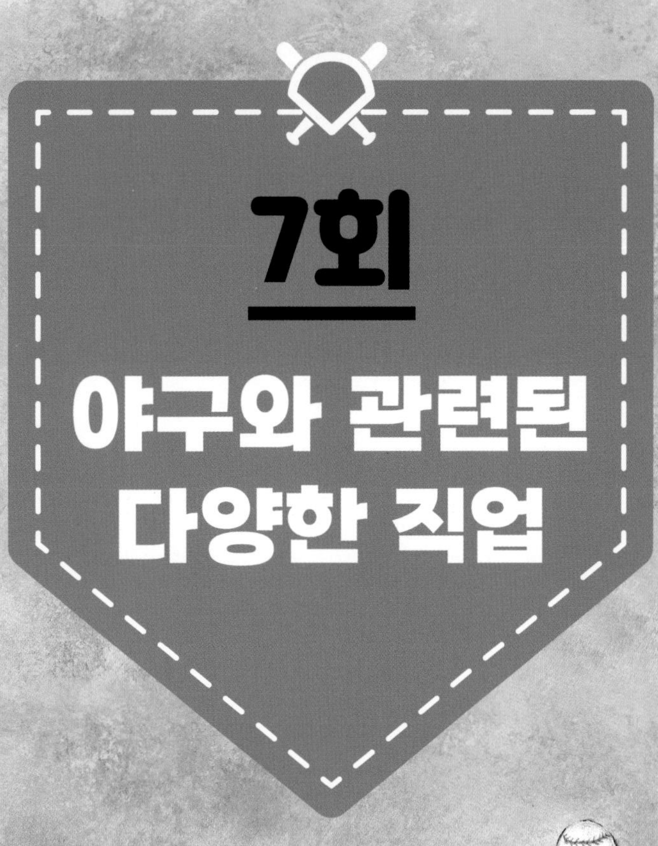

7회

야구와 관련된 다양한 직업

야구를 하고 싶어요

날아오는 공을 쳐서 멀리 날려 보내면 정말 짜릿하죠? 타자가 치기 어려울 만큼 빠른 공을 던졌을 때도 가슴이 뿌듯해지고요. 야구의 인기가 높아지면서 야구 경기를 보는 것에 그치지 않고 직접 야구를 하려는 사람들이 늘어나고 있습니다. 야구 선수가 꿈인 어린이들도 많답니다.

초등학생을 위한 리틀 야구단

리틀 야구단은 만 9세부터 13세까지의 어린이들이 모여 야구를 하는 국제 공인 야구단입니다. 1938년 8월 21일 미국 펜실베이니아에서 세계리틀야구연맹이 처음 만들어져서 1974년부터 세계리틀야구대회가 개최되었지요. 한국은 1972년에 세계리틀야구연맹에 가입해서 2025년 현재 200개가 넘는 리틀 야구단이 있답니다. 1974년부터는 여자 어린이도 리틀 야구단에 가입할 수 있게 되었어요.

리틀 야구단은 어린이 체형에 맞게 경기장 크기와 규칙을 바꾸어서 경기해요. 구장 크기가 상대적으로 작고, 경기도 총 6회까지 하지요. 안전을 가장 중요하게 여겨서 도루 등의 규정을 제한하고 반드시 턱걸이가 있는 헬멧을 써야 합니다.

초등학교에 야구부가 있는 경우, 학교에서도 야구를 전문적으로 배울 수 있답니다.

중·고등학교 야구부

중학교와 고등학교 야구부에서도 야구를 배울 수 있습니다. 프로야구 선수가 되려면 보통 중·고등학교 때부터 야구부에서 활동해요. 우리나라에는 중학교 야구부가 약 150개, 고등학교 야구부는 약 100개 정도 있답니다.
또 지역마다 청소년 야구단도 있어서 야구도 배우고 다양한 야구 대회에도 참가할 수 있습니다.

미국과 일본의 시니어 리틀 야구단

미국과 일본에는 중·고등학생을 대상으로 하는 시니어 리틀 야구단이 있어요. 시니어 리틀 야구단에서 실력을 쌓으면 프로야구 선수가 될 수 있답니다.

아마추어 야구단

어른이 되어서도 야구를 즐길 수 있는 기회는 많아요. 1만 개가 넘는 크고 작은 아마추어 야구단이 있으니까요. 같은 지역 사람들, 직장 동료들, 또는 동호회 사람들이 모여 만든 야구단이지요. 아마추어 야구단을 위한 전국 야구 대회와 다양한 리그도 열린답니다.

프로야구 선수가 되려면?

프로야구 선수가 되는 데 가장 중요한 것은 노력과 재능이에요.

체격이 좋아야 해요

야구 선수들은 보통 체격이 아주 좋아요. 이대호 선수나 류현진 선수만 봐도 체격이 정말 크죠? 체격이 크면 몸이 둔할 것 같지만, 두 선수는 몸이 매우 유연하답니다. 공을 부드럽게 던지거나 타격할 때 공의 속도나 스윙 스피드가 더 빨라지지요.
야구 선수의 신체 조건은 포지션마다 약간씩 다르지만 보통 강한 근력이 필요합니다. 타자의 경우 근력이 강해야 공을 멀리까지 칠 수 있고, 수비를 할 때도 어깨 근육을 이용해서 공을 세게 던져야 하기 때문이지요. 빠른 발도 야구 선수의 신체 조건 가운데 하나랍니다.

신인 드래프트

고등학교 야구부나 대학교 야구부를 졸업하는 선수가 프로야구 선수가 되려면 신인 드래프트에 참여해야 해요. 드래프트(draft)는 프로 팀의 신인 선수 선발 제도예요. 신인 드래프트를 통해서 프로야구단은 마음에 드는 신인 선수를 자기 팀으로 데려올 수 있지요.
어느 팀이 먼저 선수를 지명할지는 지난 시즌 순위로 결정해요. 지난 시즌의 최하위 팀부터 순서대로 한 명씩 신인 선수를 지명하고, 우승 팀은 가장 마지막에 지명한답니다. 각 구단은 최대 10명까지 신인 선수를 뽑을 수 있습니다. 마음에 드는 선수가 없으면 뽑지 않아도 되지요.
신인 드래프트에 참가한 모든 선수들이 다 프로야구 선수가 될 수 있는 것은 아니에요. 지명을 받지 못하는 선수도 많답니다.

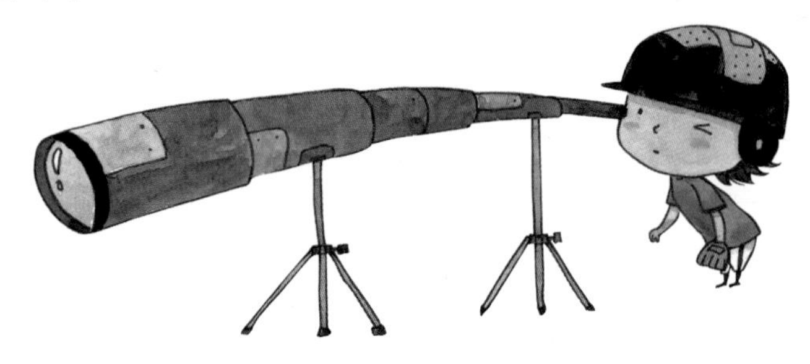

야구와 관련된 다양한 직업

야구 선수 외에도 야구와 관련 있는 직업은 아주 많아요.

경기 기록원은 경기에 대한 모든 것을 기록해요. 언제 어느 야구장에서 어느 팀이 경기하는지부터 심판 이름과 경기 점수, 각 선수의 개인 기록 등을 자세하게 기록하지요. 한국야구위원회(KBO)에서는 공식 경기를 진행하고 기록하는 등 한국 프로야구를 관리해요.
이 밖에도 코치, 심판, 프로야구단 트레이너, 기자, 중계방송 캐스터, 스포츠 에이전트 등 야구와 관련된 다양한 직업이 있답니다.

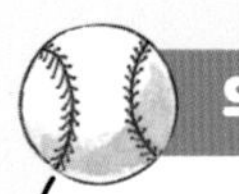

야구는 남자들만의 스포츠일까요?

여자 야구단도 많습니다.
2005년 4월 창단한 나인빅스를 비롯해 서울, 경기, 인천, 광주, 전북, 대전, 대구, 부산 등 전국 60여 개 팀이 있지요.
등록 선수도 1,000명이 넘는답니다. 이 가운데 유명한 야구단으로는 나인빅스, 블랙펄스, 레이디스 등이 있어요.
또 한국여자야구연맹이라는 단체도 생겨났어요. 계룡시장기 대회, KBO총재배 대회, 연맹회장기 대회 같은 전국 대회도 열렸고, 부평 리그·영등포 리그·영남 리그 등 지역별 리그 경기도 펼쳐졌지요. 지금은 LG배 한국여자야구대회가 가장 유명하답니다.
야구를 관람하며 응원만 하는 게 아니라 직접 야구를 즐기는 여성들이 많아졌다니 참 반가운 일이죠?

8회

야구의 탄생과 역사

야구의 탄생

야구는 9명(지명 타자가 있는 경우 10명)으로 구성된 두 팀이 방망이와 공을 사용하여 승부를 겨루는 운동입니다. 투수가 던진 공을 타자가 방망이로 치고 1루, 2루, 3루 베이스를 차례로 돌아 홈 베이스를 밟으면 점수를 얻지요. 그래서 영어로는 야구를 베이스볼(baseball)이라고 부른답니다.

야구는 어떻게 태어났을까요?

막대기로 치는 놀이는 옛날에도 많이 있어서 야구의 기원을 따지기는 쉽지 않아요. 고대 페르시아, 인도, 이집트, 그리스, 로마 등의 나라에서는 종교 의식을 할 때 막대기로 치는 놀이를 했다고 해요. 하지만 오늘날의 야구와 비슷한 놀이는 13세기 영국의 크리켓이나 18세기 라운더스 등에서 찾아볼 수 있어요. 그중 라운더스가 미국으로 건너가 동부 해안 지방에서 유행하다가 널리 퍼진 것이 야구라고 전해져요.

야구 규칙은 어떻게 만들어졌을까요?

알렉산더 카트라이트

미국의 알렉산더 카트라이트가
1845년에 최초로 야구 규칙을 만들었답니다.

미국 의회는 1953년 6월 3일, 카트라이트를 근대 야구의 발명가로 공식 인정했습니다. 카트라이트는 뉴욕 니커보커스라는 팀을 만들어서 1845년에 야구 경기를 했다는 기록이 있어요. 하지만 공식적인 최초의 야구 경기는 1846년 6월 19일 미국 뉴저지주의 호보컨에서 뉴욕 니커보커스와 뉴욕 나인이 벌인 경기입니다. 1회에서 4회까지 경기를 펼쳤는데 뉴욕 나인이 23:1로 크게 이겼답니다.

8회

미국 야구의 역사

야구와 비슷한 놀이는 영국에서 시작되었지만, 야구가 성장하고 발전한 곳은 미국이랍니다. 프로야구가 가장 먼저 생긴 곳도 바로 미국이지요.

★ 세계 최초의 프로야구 팀 ★

미국에서는 1860년대에 야구가 대중 스포츠로 자리 잡았습니다.

1869년에 세계 최초의 프로야구 팀인 신시내티 레드스타킹스(Cincinnati Red Stockings)가 창단되었지요.

그리고 1871년 3월 17일 미국프로야구선수협회가 만들어지고 정식으로 프로야구가 시작되었답니다. 1876년부터는 8개 팀이 풀 리그(full league) 방식으로 경기를 치러서 우승 팀을 정했습니다. 풀 리그란 참가 팀들이 한 번씩 차례로 맞붙어 최종 승자를 가리는 방식이에요. 창립 당시에는 이를 내셔널리그(National League)라고 불렀어요. 8개 팀은 미국 8개 도시, 시카고, 신시내티, 세인트루이스, 루이빌, 뉴욕, 하트퍼드, 보스턴, 필라델피아를 대표했습니다. 1876년 4월 22일에 보스턴 대 필라델피아의 경기가 열렸는데, 이것이 바로 미국 프로야구, 즉 메이저리그(Major League Baseball, MLB)의 시작이랍니다.

★ 내셔널리그와 아메리칸리그 ★

내셔널리그는 당시 미국 사람들에게 큰 인기를 끌었습니다. 그러자 스포츠를 사업으로 하는 회사의 사장인 구단주들이 새로 8개 야구 팀을 만들어 리그를 시작했습니다.
이렇게 해서 1901년에 아메리칸리그(American League)가 시작되었답니다.

★ 마이너리그 ★

메이저리그보다 한 단계 아래에 있는 리그를 마이너리그(Minor League)라고 합니다. 메이저리그에서 활약하기 위해 많은 선수들이 마이너리그에서 실력을 키웁니다. 마이너리그는 선수들의 능력에 따라 트리플A(AAA), 더블A(AA), 싱글A(A), 루키(rookie)리그, 이렇게 4등급으로 나뉘어요. 메이저리그 야구 팀 가운데 많은 팀이 마이너리그 팀을 만들어 선수 양성을 하고 있답니다.

블루 와후스 스타디움

★ 월드 시리즈의 탄생 ★

1903년, 내셔널리그 우승 팀과 아메리칸리그 우승 팀은 진정한 챔피언을 가리기 위해 정면승부를 벌였습니다. 이것이 바로 해마다 10월이면 미국과 전 세계를 떠들썩하게 만드는 월드 시리즈의 시작이랍니다. 첫 월드 시리즈에서는 내셔널리그 우승 팀인 피츠버그 파이어리츠와 아메리칸리그 우승 팀인 보스턴 레드삭스가 대결했습니다. 먼저 다섯 번 승리하면 우승하는 방식이었는데, 5승 3패로 보스턴 레드삭스가 이겼지요. 지금은 일곱 번 경기를 치러 네 번을 먼저 승리하는 팀이 그해의 최종 우승을 차지합니다.

아메리칸리그 VS **내셔널리그**

아메리칸리그

동부 지구
볼티모어 오리올스
보스턴 레드삭스
뉴욕 양키스
탬파베이 레이스
토론토 블루제이스

중부 지구
시카고 화이트삭스
클리블랜드 인디언스
디트로이트 타이거스
캔자스시티 로열스
미네소타 트윈스

서부 지구
휴스턴 애스트로스
로스앤젤레스(LA) 에인절스
오클랜드 어슬레틱스
시애틀 매리너스
텍사스 레인저스

World Series

내셔널리그

동부 지구
애틀랜타 브레이브스
마이애미 말린스
뉴욕 메츠
필라델피아 필리스
워싱턴 내셔널스

중부 지구
시카고 컵스
신시내티 레즈
밀워키 브루어스
피츠버그 파이어리츠
세인트루이스 카디널스

서부 지구
애리조나 다이아몬드백스
콜로라도 로키스
로스앤젤레스(LA) 다저스
샌디에이고 파드리스
샌프란시스코 자이언츠

TIP

메이저리그의 한국인들

미국 프로야구 메이저리그에 처음 진출한 한국인은 박찬호 선수입니다. 1994년 LA 다저스에 입단했지요. 박찬호 선수는 마이너리그를 거치지 않고 곧바로 메이저리그에 오른 대단한 선수예요. 130년이 넘는 메이저리그 역사에서 17번째지요. 그 뒤 봉중근, 최희섭, 추신수, 류현진, 최지만, 김하성 등 모두 26명의 한국 선수가 메이저리그에 진출했답니다.

★ 미국 프로야구의 전설들 ★

미국 프로야구에서 가장 유명한 선수로는 베이브 루스와 루 게릭 선수를 꼽을 수 있습니다.

베이브 루스

베이브 루스(Babe Ruth, 1895~1948년)는 전설적인 홈런왕이에요. 메이저리그에서 무려 714개의 홈런을 기록했답니다. 이 기록은 1974년에 행크 애런(Hank Aaron)이 깨기 전까지 43년 동안 최고의 기록으로 남아 있었지요. 베이브 루스의 원래 이름은 조지 허먼 루스인데 '갓난아기'를 뜻하는 '베이브'라는 별명으로 더 많이 불렸답니다.

밤비노의 저주

밤비노는 이탈리아어로 '갓난아기'라는 뜻이에요. 베이브 루스의 또 다른 별명이었지요. '밤비노의 저주'는 명문 구단이었던 보스턴 레드삭스가 1920년에 베이브 루스를 뉴욕 양키스로 헐값에 이적시킨 뒤 월드 시리즈에서 한 번도 우승하지 못한 데서 생겨난 말입니다. 사람들은 보스턴 레드삭스가 패배한 것이 베이브 루스를 내보냈기 때문이라고 생각했지요. 보스턴 레드삭스는 86년 만인 2004년에야 월드 시리즈에서 우승했고, 이로써 밤비노의 저주도 풀렸다고 이야기했어요.

루 게릭

또 다른 전설적인 선수로 루 게릭(Henry Louis Gehrig, 1903~1941년)을 꼽을 수 있어요. 정교하고 힘 있게 공을 치는 강타자로, 베이브 루스와 함께 뉴욕 양키스에서 활동했지요. 루 게릭은 1925년부터 1939년까지 2,130경기 연속 출전이라는 메이저리그 최고 기록을 세워 '철인'이라는 별명을 얻기도 했어요. 그러나 근육에 힘이 없어지는 병에 걸려서 1939년에 은퇴해야 했답니다. 그때 그는 **'나는 세상에서 가장 행복한 사람'**이라는 유명한 말을 남겼어요.

뉴욕 양키스는 루 게릭을 기념하기 위해 그의 등번호 4번을 영구결번으로 남겼어요. 루 게릭은 2년 뒤 37세의 나이로 생을 마감했는데 훗날 그가 걸렸던 병을 '루게릭병'이라 부르게 되었습니다.

일본 야구의 역사

일본은 미국 다음으로 야구의 인기가 높은 나라예요. 1871년 9월 30일, 일본에서 처음으로 야구 경기가 벌어졌어요. 요코하마에 살던 외국인과 미국 군함 콜로라도호 승무원들 사이에서 펼쳐진 경기였지요. 그리고 이듬해, 현재의 도쿄대학인 제1번 중학(第一番中學)의 외국인 선생님 호레이스 윌슨이 일본 학생들에게 야구를 소개하면서 야구가 일본에 널리 퍼지게 되었답니다.

● 재팬 시리즈 ●

1920년대부터 일본에서 야구가 큰 인기를 얻기 시작했습니다. 프로야구단이 2개나 생겨났지요. 1931년에는 미국 메이저리그 스타 선수들이 초청되어 일본 대학 팀들과 경기를 가졌습니다. 1934년 가을에는 베이브 루스, 루 게릭 등 대스타들로 구성된 미국 올스타 팀이 초청을 받고 일본 사회인 야구 팀과 경기를 치렀습니다. 이 사회인 야구 팀 선수들이 같은 해 12월에 프로야구단을 만들었고, 그 팀이 오늘날 일본에서 가장 인기 있는 구단인 요미우리 자이언츠랍니다.

일본 프로야구는 1936년에 생겨났어요. 미국에 이어 세계에서 두 번째지요.

현재 일본 프로야구는 센트럴리그 6팀, 퍼시픽리그 6팀으로 모두 12개의 팀이 있습니다. 이전에는 두 리그의 1위 팀끼리 재팬 시리즈(Japan Series)를 벌여 우승 팀을 가렸어요. 하지만 2000년대 이후 스타 선수들의 메이저리그 진출과 일본 프로축구 J리그의 성장으로 야구 인기가 다소 줄어들었어요. 그래서 2007년부터는 우리나라처럼 계단식 플레이오프를 도입했습니다. 각 리그 3위와 2위가 대결하는 퍼스트 스테이지, 퍼스트 스테이지 승자와 1위가 대결하는 파이널 스테이지, 그리고 두 리그의 파이널 스테이지 승자끼리 마지막 경기를 치러 챔피언을 가리는 방식으로 재팬 시리즈가 펼쳐집니다.

8회

센트럴리그

요미우리 자이언츠
도쿄 야쿠르트 스왈로스
요코하마 베이스타스
주니치 드래곤스
한신 타이거스
히로시마 도요 카프

Japan Series

퍼시픽리그

홋카이도 닛폰햄 파이터스
도호쿠 라쿠텐 골든이글스
사이타마 세이부 라이온스
지바 롯데 마린스
오릭스 버팔로스
후쿠오카 소프트뱅크 호크스

재일 동포 선수

장훈과 가네다 마사이치는 일본 프로야구 역사상 가장 위대한 타자와 투수로 꼽히는 선수들입니다. 공교롭게도 두 선수는 한국인의 피가 흐르는 재일 동포랍니다.

장훈 선수(2025년 현재 84세)

1959년부터 1981년까지 23시즌을 뛰면서 안타 3,085개, 홈런 504개, 타율 3할 1푼 9리라는 엄청난 기록을 남겼습니다. 타율은 타격률을 뜻해요. 안타를 친 횟수를 타격수로 나눈 것이지요. 특히 장훈 선수는 일본 프로야구 최초로 3,000안타를 돌파한 전설적인 타자였습니다. 그는 끝까지 일본으로 귀화하지 않고 활동했어요.

가네다 마사이치 선수(한국 이름 김경홍, 2019년 사망)

1950년부터 1969년까지 20시즌을 활약하면서 통산 400승이라는 위대한 기록을 남긴 선수입니다. 한 시즌에 평균 20승을 기록한 것이지요. 10세에 일본에 귀화했다고 해요.

TIP

켄터키 프라이드 치킨의 저주

1985년 일본 프로야구 팀인 한신 타이거스가 센트럴리그에서 우승하자 팬들은 기쁨에 취해서 켄터키 프라이드 치킨(KFC)의 상징물인 '켄터키 할아버지'를 강에 던졌답니다. 켄터키 할아버지가 한신 타이거스의 강타자 랜디 바스와 닮았다는 이유에서였어요. 그 후, 한신 타이거스는 37년 동안 한 번도 우승을 하지 못했어요. 2009년에 강에 버려진 켄터키 할아버지가 발견되기도 했지요. 그러나 2023년에 한신 타이거스는 마침내 우승을 차지했답니다.

8회

한국 야구의 역사

1905년 미국인 선교사 질레트가 황성기숙청년회 회원들에게 야구를 소개하면서 우리나라에 야구가 처음으로 알려졌습니다. 이듬해인 1906년 2월 11일에 황성기숙청년회 야구 팀과 덕어학교(독일어 학교) 야구 팀이 겨루어 덕어학교 팀이 승리했는데, 이것이 우리나라 최초의 야구 경기였답니다.

일제 강점기의 한국 야구

야구의 인기가 높아지면서 학교를 중심으로 야구 팀들이 생겨났습니다. 1920년에 조선체육회가 주최하는 제1회 전조선야구대회가 배재고등보통학교 운동장에서 열렸어요. 1922년에는 미국 메이저리그 프로야구단을 초청하기도 했답니다. 하지만 일본 식민지 시대였기 때문에 일본의 탄압으로 1938년 조선체육회가 강제로 해산되는 시련을 겪었습니다. 일본의 탄압이 심해지자 실력 있는 야구 선수들은 일본으로 건너갔습니다. 일본에서 한국인에 대한 차별을 극복하려고 더욱 열심히 연습한 결과, 장훈이나 김경홍 같은 훌륭한 선수가 나왔답니다.

한국 프로야구의 탄생

1960년대와 70년대에는 고교 야구가 엄청난 인기를 끌었답니다. 기업이나 기관에서 운영하는 야구 실업 팀도 10개가 넘게 늘어났지요.

이 실업 팀들을 중심으로 1982년에 마침내 우리나라에도 프로야구가 탄생했습니다.

8회

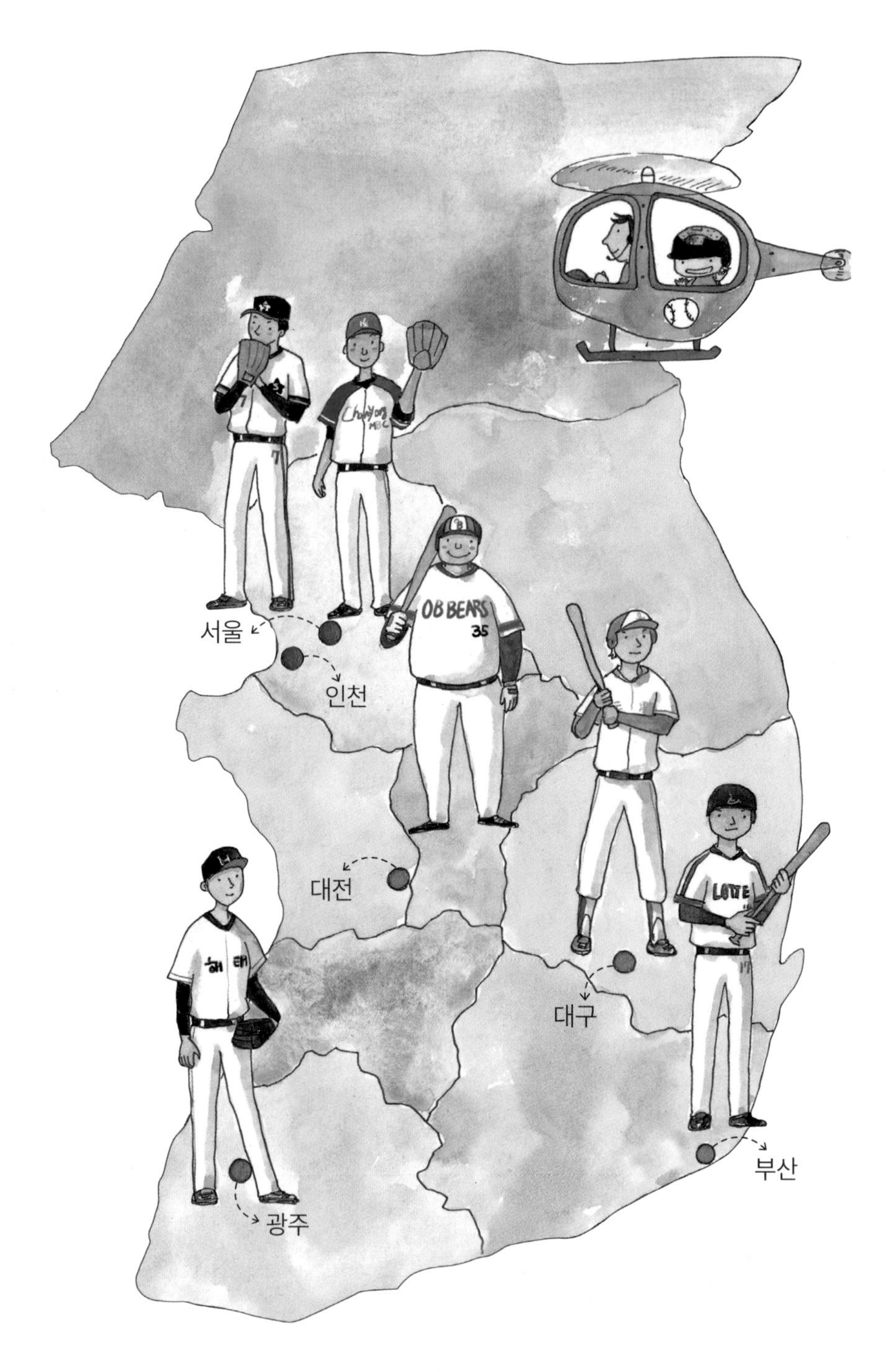

서울특별시의 MBC 청룡, 충청남·북도의 OB 베어스, 전라남·북도의 해태 타이거즈, 인천광역시와 경기도·강원도의 삼미 슈퍼스타스, 대구광역시와 경상북도의 삼성 라이온즈, 부산광역시와 경상남도의 롯데 자이언츠, 이 6개 팀이 결성되었습니다. 당시 10여 개의 실업 팀에서 뛰고 있던 선수들은 자신의 고향에 따라서 팀을 결정했답니다.

한국 프로야구의 발전

한국 프로야구 첫해인 1982년에는 6개 팀이 전기 리그와 후기 리그로 나뉘어 팀당 80경기씩 총 240경기를 치렀습니다. 그리고 전기 리그 우승 팀과 후기 리그 우승 팀이 겨루는 한국시리즈를 펼쳤지요. 일곱 번 겨뤄서 네 번을 먼저 이기는 팀이 챔피언의 영광을 누렸습니다. 한국 프로야구도 발전을 거듭하면서 1991년부터는 8개 팀으로 늘어났어요. 1999년과 2000년에는 8개 팀을 4개 팀씩 드림리그와 매직리그로 나누어 경기했지만, 2001년부터 다시 한 개의 리그로 합쳤습니다. 2013년에 NC 다이노스, 2015년에 KT 위즈가 합류하면서 현재 10개 팀이 단일 리그로 경기를 치르고 있습니다.

기업에 따라서 이름이 바뀌어요

한국 프로야구에서는 그동안 여러 팀이 생겼다가 사라졌습니다. 프로야구단은 대기업에 속해 있어서 팀을 보유한 기업이 바뀔 때마다 이름이 바뀐답니다.

주식회사 삼미에 속해 있던 슈퍼스타스의 경우를 예로 들어 볼까요?

2025년 현재 한국 프로야구는 KIA 타이거즈, 롯데 자이언츠, 삼성 라이온즈, LG 트윈스, 두산 베어스, 키움 히어로즈, SSG 랜더스, KT 위즈, 한화 이글스, NC 다이노스, 10개 팀으로 구성되어 있습니다.

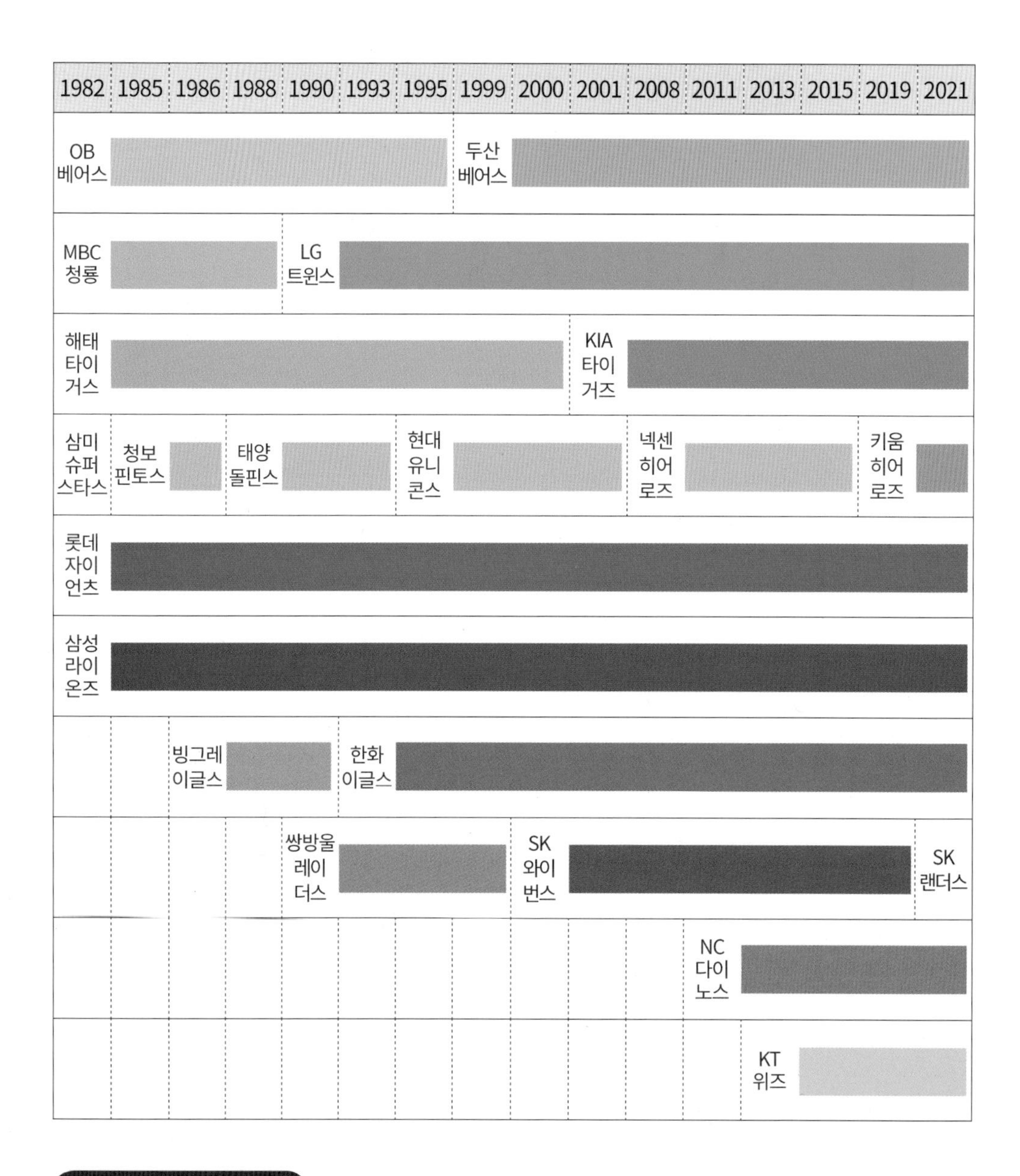

1군과 2군

한국 프로야구단은 소속 선수들을 1군과 2군으로 나눕니다. 대개 1군은 프로야구 경기에서 보는 선수들이고, 2군은 후보 선수지요. 2군에서 좋은 성적을 낸 선수는 1군으로 올라가고, 반대로 부상을 입거나 컨디션 조절이 필요한 선수는 1군에서 2군으로 내려가기도 해요. 각 프로야구단의 2군끼리 벌이는 경기를 퓨처스리그라고 합니다.

정규 시즌과 포스트 시즌

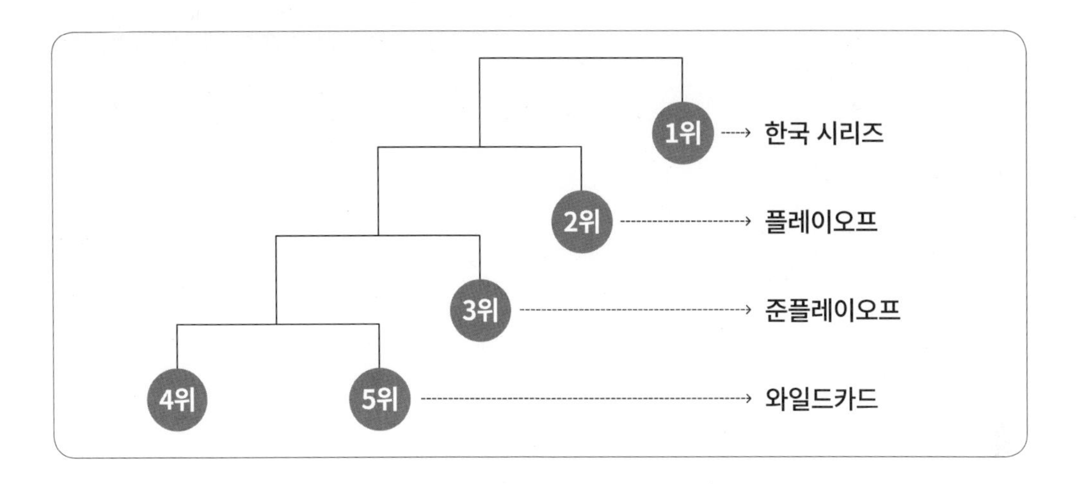

프로야구에서 정해진 공식 경기를 치르며 순위를 정하는 것을 정규 시즌이라고 해요. 리그(league) 혹은 페넌트 레이스(pennant race)라고도 합니다.

정규 시즌이 끝나면 일정 순위 안에 든 팀끼리 경기를 치러 우승 팀을 가리는 포스트 시즌이 시작됩니다. 정규 시즌 4위 팀과 5위 팀이 맞붙는 와일드카드 결정전, 와일드카드 결정전에서 이긴 팀과 정규 시즌 3위 팀이 갖는 준플레이오프, 준플레이오프에서 이긴 팀과 정규 시즌 2위 팀이 갖는 플레이오프, 플레이오프에서 이긴 팀과 정규 시즌 1위 팀이 갖는 한국 시리즈를 합쳐 포스트 시즌이라고 합니다.

또 야구팬들이 투표해서 뽑힌 선수들이 올스타전을 펼치기도 해요. 올스타전은 전반기 리그가 끝난 후에 열린답니다.

8회

우리 주변의 야구 시설들

야구장에는 어린이들이 즐길 만한 놀이 시설과 야구 관련 시설들이 있어요. 예전보다 점차 많아지고 있지요.

프로야구가 열리는 전국 대부분의 야구장에는 유아 놀이방이 설치되어 있어요. 아직 야구 규칙을 잘 모르는 초등학교 입학 전 어린이들도 야구와 친해질 수 있도록 방망이와 글러브 모양의 대형 미끄럼틀, 볼 풀 등 각종 놀이 기구가 갖추어져 있답니다.

야구 체험 시설도 있어요. 아빠와 함께 야구를 체험할 수 있는 피칭 케이지와 배팅 케이지가 설치되어 있지요. 피칭 케이지에서는 던지는 야구공의 속도를 스피드 건으로 측정해 볼 수 있어요. 직구, 커브, 슬라이더(슬라이드 볼), 포크 볼 등 다양한 구질의 공을 잡는 방법도 모형을 통해 알려 줘요. 배팅 케이지에 가면 직접 방망이로 야구공도 칠 수 있어요.

또 관중석도 패밀리 존, 바비큐 존 등으로 다양하게 구성해 가족이나 친구끼리 응원하면서 즐길 수 있답니다.

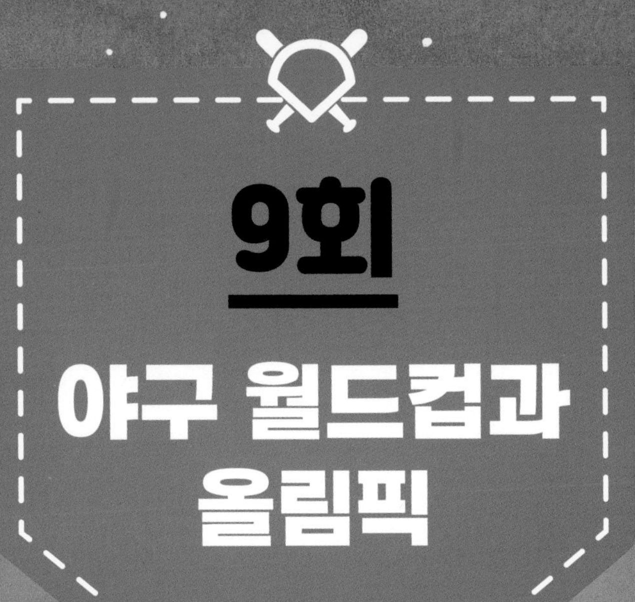

9회

야구 월드컵과 올림픽

야구 월드컵

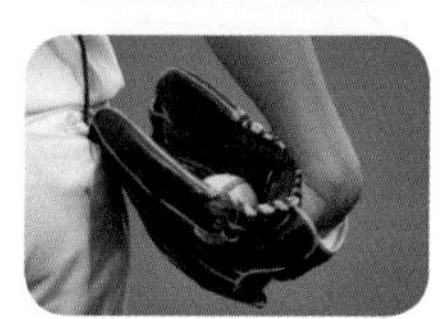

'야구 월드컵'은 국제야구연맹(IBAF)이 개최한 세계 대회입니다. 1938년에 처음 시작되었지요. 처음에는 세계야구선수권대회라고 불렸지만, 2001년부터는 야구 월드컵(Baseball World Cup, BWC)이라는 이름으로 바뀌었어요. 제1회 대회에는 영국과 미국, 두 나라만 참가했지만, 이후 참가국 수가 늘어 2009년 제38회 대회에는 22개국이 참가했습니다. 한국은 1970년대부터 참가하기 시작했어요. 1982년에는 한국에서 제27회 세계야구선수권대회가 열렸고, 한국이 우승했지요.

하지만 야구 월드컵은 메이저리그 선수 등 세계적인 프로 선수들이 많이 참가하지 않는다는 단점이 있었고, 결국 2011년에 폐지되었습니다.

국제야구연맹(IBAF)

1938년에 결성된 국제야구연맹은 전 세계에서 열리는 각종 국제 야구 경기를 주관하는 단체입니다. 현재 118개국이 가입되어 있지요. 한국도 1972년에 국제야구연맹 회원국이 되었답니다.

개구리 번트!

1982년은 한국 프로야구가 탄생한 해이기도 하고, 한국에서 제27회 세계야구선수권대회가 열린 해이기도 합니다. 한국은 이 대회를 개최하기 위해 잠실야구장을 만들었답니다. 많은 사람들이 제27회 세계야구선수권대회를 잊지 않고 기억하는 이유는 한국에서 열린 경기이기도 하지만, 결승전인 한일전에서 있었던 김재박 선수의 '개구리 번트' 때문이기도 합니다.

한국과 일본이 만난 결승전에서 한국은 8회 초까지 2:0으로 일본에 지고 있었답니다. 그런데 8회 말에 김재박 선수가 스트라이크 존에서 벗어나 높이 날아오는 공을 개구리가 점프하듯이 높이 뛰면서 번트를 해 성공시켰어요. 이 번트로 한국과 일본은 2:2 동점이 되었지요. 그 뒤로 등장한 한대화 선수가 역전 3점 결승 홈런을 터트리면서 한국은 5:2로 일본에 극적인 역전승을 거두었고, 꿈에 그리던 세계야구선수권대회 우승도 차지했답니다.

월드 베이스볼 클래식

2004년, 야구 종목에도 세계 야구 챔피언을 가리는 대회를 만들자는 움직임이 일어나기 시작했어요. 미국 메이저리그에서 뛰고 있는 선수들을 비롯해 세계 여러 나라의 프로야구 선수들이 참가해서 축구 월드컵처럼 국가 대항전을 펼쳐 보자는 것이었지요.

마침내 미국 메이저리그 사무국이 주도적으로 나서서 2006년 월드 베이스볼 클래식(World Baseball Classic, WBC) 대회가 개최되었답니다.

미국에서 열린 첫 대회는 16개국이 참가한 가운데 일본이 우승을 차지했고, 2009년 2회 대회에서도 일본이 우승했습니다. 이후 대회 개최 주기를 4년으로 변경해 3회 대회는 2013년에 열렸어요. 도미니카공화국이 처음으로 무패 전승 우승 기록을 세웠지요. 2017년 4회 대회는 미국이 우승했고, 2021년 5회 대회는 코로나19 팬데믹으로 인해 2023년으로 연기되었어요. 참가국도 기존 16개국에서 20개국으로 확대된 가운데 일본이 세 번째 정상에 올랐답니다.

TIP

메이저리그 '조막손 투수' 제임스 애벗

제임스 애벗(James Abbott) 선수는 1967년에 태어났는데, 태어날 때부터 오른쪽 손이 없는 장애가 있었어요. 이 때문에 야구 선수가 된 이후 '조막손 투수'라고 불렸지요. 하지만 애벗은 1988년 서울 올림픽에서 미국을 우승으로 이끌었고, 메이저리그에 데뷔해 노 히트 노 런을 기록하는 기적을 일구었답니다.
그는 이런 말을 남겼습니다.

"꿈이 있으면 됩니다.
나는 손이 하나 없다는 것을 신경 쓰지 않았습니다.
그리고 천재는 1%의 영감과 99%의 노력으로 이뤄진다는 에디슨의 말을 믿고 열심히 노력했습니다."

올림픽 야구 경기

야구가 올림픽에 처음 등장한 것은 1904년 미국 세인트루이스 올림픽 때였습니다. 하지만 이때는 정식 종목이 아니라 시범 경기였지요.

1992년이 되어서야 올림픽 정식 종목으로 채택되었답니다.

2008년 베이징 올림픽에서는 한국 야구가 세계 정상에 우뚝 섰어요. 그것도 아홉 번의 경기를 치르면서 한 번도 패하지 않고 금메달을 따서 더욱 의미가 컸습니다. 2021년 도쿄 올림픽에서는 개최국 일본이 금메달을 땄습니다.
한편 국제올림픽위원회(IOC)는 2012년 런던 올림픽과 2016년 리우 올림픽, 2024년 파리 올림픽 때 야구를 정식 종목에서 제외했어요. 그러나 2028년에 치러질 로스앤젤레스 올림픽에서는 다시 야구가 정식 종목으로 부활한답니다.

9회

연장전
한국 프로야구
이야기
멋진걸!

최다 관중

한국 프로야구는 1982년에 MBC 청룡(서울)과 롯데 자이언츠(부산), 삼성 라이온즈(대구), OB 베어스(대전), 해태 타이거즈(광주), 삼미 슈퍼스타스(인천), 6개 팀으로 시작되었답니다. 한국 프로야구 역사상 최다 관중이 모인 때는 1986년 4월 20일 부산 사직구장에서 열린 롯데 자이언츠와 해태 타이거즈의 경기 때였어요. 무려 3만 6,152명이 야구장을 찾았지요.

이 경기를 비롯해 롯데 자이언츠와 해태 타이거즈는 1986년부터 1988년까지 사직구장에서 역대 최다 관중 1~5위 기록을 세웠답니다. 두 팀은 최고 인기 구단인 데다가 기업도 둘 다 과자를 만드는 기업이고, 지역적으로도 라이벌이었기 때문이에요.

최다 관중 기록은 한동안 깨지지 않을 것 같아요. 서울 잠실구장과 부산 사직구장, 인천 문학구장 등 3만 명이 넘는 관중이 들어갈 수 있는 큰 야구장들이 좌석 공간을 넓히면서 좌석 수를 크게 줄였기 때문이에요.

부산 사직구장

서울종합운동장 야구장(잠실야구장)

인천 SSG 랜더스필드

고척스카이돔

최소 관중

1999년 10월 7일 전주구장에서 열린 쌍방울 레이더스와 현대 유니콘스 경기를 본 관중은 불과 54명이었어요. 시즌이 마지막 단계로 접어들어 이미 팀 순위가 결정된 데다 홈 팀인 쌍방울 레이더스가 28승 97패 7무의 참담한 성적으로 최하위 팀이 되었기 때문이지요.

2002년 한일 월드컵 축구 열기가 뜨거웠을 때도 야구장은 관중이 없어 썰렁했답니다. 2002년 6월 19일 부산 사직구장에서 열린 롯데 자이언츠와 현대 유니콘스의 경기에는 고작 186명이 입장했지요. 또 한국이 독일과 축구 4강전을 치른 다음 날인 6월 26일 수원구장에도 309명의 관중밖에 없어서 한적한 관중석 사이를 자전거가 누비고 다니는 진풍경이 펼쳐졌습니다.

최다 연승 기록

2009년 9월 26일 인천 문학구장에서 열린 SK 와이번스와 두산 베어스의 시즌 마지막 경기에서 SK 와이번스가 6:2로 승리했습니다. 같은 해 8월 25일 두산 베어스를 상대로 승리를 거둔 뒤 19번을 계속 이긴 것이었지요.
이 기록은 그때까지 1986년 삼성 라이온즈가 세운 16연승을 뒤엎는 것이었고, 일본 프로야구에서 두 차례 있었던 18연승 기록도 깨트리며 아시아 신기록이 되었어요. SK 와이번스의 연승 행진은 2010년 시즌에서도 계속 이어져 2010년 3월 29일 22연승을 기록한 뒤에야 멈췄답니다. 네 번만 더 이겼다면 미국 프로야구 메이저리그 최다 연승 기록과 어깨를 나란히 할 수 있었을 거예요. 메이저리그 최다 연승 기록은 1916년 뉴욕 자이언츠가 세운 26연승이랍니다.

TIP

자르지 못한 야신의 수염

김성근 전 SK 와이번스 감독의 별명은 '야구의 신'이에요. 줄여서 '야신'이라고 해요. 김성근 감독은 수염을 자르면 질 것 같다는 생각에 수염을 기르기 시작했어요. 그 덕분인지 SK 와이번스는 2010년 4월 14일부터 5월 4일까지 16연승을 거두었어요. 사람들은 '야신의 수염' 덕분에 연승 행진을 하고 있다고 떠들썩했지요. 하지만 2010년 5월 5일 SK와 와이번스는 넥센 히어로즈에 1:2로 아깝게 졌고, 그때서야 김성근 감독은 수염을 자를 수 있었답니다.

최다 연패 기록

한국 프로야구 최다 연패 기록은 1985년 삼미 슈퍼스타스와 2020년 한화 이글스가 기록한 18연패입니다. 18연패를 하는 동안 팀 타율은 삼미 2할, 한화 2할 6리에 그쳤고, 팀 평균자책점은 삼미 6.50, 한화 8.01에 이르렀습니다. 삼미는 44득점을 하는 동안 144실점을 했고, 한화도 43득점을 하는 동안 실점이 무려 151점에 이르렀답니다.

불멸의 30승

재일 동포이자 삼미 슈퍼스타스의 투수였던 장명부 선수는 1983년 시즌 30승이라는, 지금으로는 상상조차 할 수 없는 기록을 세웠답니다. 한국 프로야구가 생긴 다음 해에 일본에서 한국으로 온 장명부 선수는 팀의 100경기 가운데 60경기에 출전하여 30승 16패 6세이브를 기록했습니다. 36경기를 교대 없이 끝까지 던졌고, 30승 가운데 선발로만 28승을 거두었지요.

연타석 홈런

박경완 선수는 현대 유니콘스에서 뛰던 때인 2000년 5월 19일, 대전구장에서 열린 한화 이글스와의 경기에서 한국 프로야구 최초로 4연타석 홈런이라는 대기록을 세웠습니다. 이후 2014년 야마이코 나바로(삼성 라이온즈), 2017년 윌린 로사리오(한화 이글스)가 4연타석 홈런의 대기록을 이어 갔습니다.
일본 프로야구에서는 야쿠르트 스왈로스의 무리카미 무네타카가 한미일 역사상 최초로 5연타석 홈런을 기록했습니다. 그는 2022년 두 경기에 걸쳐 대기록을 세웠답니다.

연속 홈런

이대호 선수

전 롯데 자이언츠 이대호 선수는 2010년 8월 4일부터 8월 14일까지 9경기 연속 홈런을 기록해 세계 신기록을 세웠습니다.

SK 와이번스 이만수 전 코치, 팬티만 입고 달리다

2007년 5월 26일, 인천 문학야구장에서 10여 명의 남성이 팬티만 입고 그라운드를 달리는 사건이 벌어졌습니다. 바로 이만수 SK 와이번스 수석코치와 SK 와이번스의 팬들이었지요. 이만수 수석코치는 문학야구장에 관중이 만석이 되면 팬티만 입고 그라운드를 돌겠다고 약속했는데, 정말로 문학야구장에 관중이 꽉 들어찬 것입니다. 이만수 수석코치는 엉덩이 부분이 인형으로 된 우스꽝스러운 줄무늬 사각팬티를 입고, 역시 사각팬티를 입은 남성 팬들과 함께 그라운드에 나와 SK 깃발을 흔들면서 달렸습니다. 관중들은 약속을 지킨 이만수 수석코치에게 아낌없는 박수와 환호를 보냈답니다.

우리나라 프로야구 구단 이야기

KIA 타이거즈

1982년 1월 30일 해태 타이거즈로 창단.

2001년 기아가 구단을 인수하여 KIA 타이거즈로 재출발했습니다. KIA는 12번이나 한국 시리즈에서 우승한 한국 프로야구의 최고 명문 구단입니다. 1983년, 1986년, 1987년, 1988년, 1989년, 1991년, 1993년, 1996년, 1997년, 2009년, 2017년, 2024년에 우승을 차지했지요. KIA 타이거즈는 한국 야구 스타들의 요람이기도 합니다. 김봉연, 김성한, 김종모, 이순철, 한대화, 선동열, 이강철, 이종범, 양현종 등 역대급 스타들이 많답니다. 전남·광주 지역이 연고지이며 기아 챔피언스 필드가 홈구장입니다.

삼성 라이온즈

프로야구 원년인 1982년 2월 3일 창단.

국민들에게 사랑받는 팀, 근성 있고 호쾌한 야구를 하는 팀이라는 구호를 내걸고 있습니다. 연고지는 대구·경북 지역이며 홈구장은 대구삼성라이온즈파크입니다. 1985년 통합 우승에 이어 2002년과 2005년, 2006년 한국 시리즈 우승을 차지했습니다. 장효조, 김시진, 이만수, 류중일, 박충식, 양준혁, 이승엽, 배영수, 오승환, 구자국 등 스타 선수를 많이 배출했습니다.

LG 트윈스

1982년 1월 26일 MBC 청룡으로 출범. 1990년 1월 18일 럭키금성(현 LG) 스포츠단의 고(故) 구승회 상무와 MBC 청룡의 이건영 사장이 구단 양도 서류에 사인하면서 LG 트윈스가 탄생했습니다. LG 트윈스 창단 첫해인 1990년과 1994년 한국 시리즈 우승 이후 무려 29년 만인 2023년에 다시 감격적인 우승을 차지했습니다. 연고지는 서울이며 홈구장은 잠실구장입니다. 김용수, 이상훈, 유지현, 이병규, 박용택 등 유명 스타들을 많이 배출했습니다.

KT 위즈

2013년 11월 창단된 프로야구 10번째 구단.
2014년 퓨처스리그에 출전하여 기량을 쌓은 후, 2015년 1군 리그에 성공적으로 데뷔했습니다. 홈구장은 수원 KT 위즈 파크입니다. 2019년까지 하위권에 맴돌다가 2021년 우승, 2023년 준우승을 차지한 것을 시작으로 5년 연속 포스트 시즌에 진출했습니다. 대표적인 선수로는 황재균, 고영표, 강백호 등이 있습니다.

두산 베어스

1982년 1월 15일, 대한민국 최초로 창단된 프로야구단. 단군 신화의 곰 설화를 바탕으로 우리나라의 반달곰을 모티브로 해 OB 베어스로 이름 지었고, 1999년 1월 5일에 두산 베어스로 팀 이름을 바꾸었습니다. 연고지는 서울, 홈구장은 LG 트윈스와 같은 잠실구장입니다. 원년(1982년) 한국 시리즈 우승을 시작으로 1995년, 2001년, 2015년, 2016년, 2019년에 챔피언 자리에 올랐습니다. 역대 프랜차이즈 스타는 박철순, 김유동, 김상호, 김동주, 정수빈, 김재환 등입니다.

SSG 랜더스

2021년 3월 5일 SK 와이번스를 인수해 창단. 인천을 연고로 하는 삼미 슈퍼스타스, 청보 핀토스, 태평양 돌핀스, 현대 유니콘스, SK 와이번스의 뒤를 잇는 여섯 번째 구단. 창단 이듬해인 2022년 한국 시리즈 정상에 올랐고, 프랜차이즈 스타로는 김광현, 최정, 김강민 등이 있습니다. 메이저리거 추신수가 은퇴하기 전 마지막으로 뛰었던 팀입니다.

롯데 자이언츠

한국 프로야구가 창단된 해, 1982년 2월 12일 출범. 연고지는 부산-경남이며 홈구장은 부산 사직구장입니다. 팬들의 독특한 응원 문화로 유명한 팀이지요. 1984년 한국 시리즈에서 고(故) 최동원 투수가 혼자 4승을 따내며 첫 우승을 차지했고, 최동원을 비롯해 김용희, 김용철, 윤학길, 김민호, 박정태, 이대호 등 유명 선수를 배출했습니다. 가장 인기 있는 구단이면서도 1992년 두 번째 우승 이후 30년 넘게 한국 시리즈 우승을 하지 못한 비운의 팀입니다.

한화 이글스

1986년 3월 8일 제7구단인 빙그레 이글스로 출범.
대전·충남이 연고지이며 베이스볼 드림파크가 홈구장입니다. 1988년, 1989년, 1991년, 1992년, 2008년, 다섯 번의 준우승과 1999년 한 번의 우승을 일구어 냈지요. 2000년에 한화가 구단을 인수하여 한화 이글스로 재출범했습니다. 송진우, 장종훈, 구대성, 정민철, 김태균, 류현진 등 한국 프로야구를 이끈 걸출한 스타들을 많이 배출했습니다. 그러나 2008년부터 2023년까지 16년 동안 15번이나 포스트 시즌 진출에 실패할 정도로 최근 성적은 부진한 편입니다.

NC 다이노스

2011년 3월 31일 창단 조인식을 열고 경상남도 창원을 연고지로 하는 9구단으로 출범했습니다. 2008년 베이징 올림픽 우승을 이끈 명장 김경문 감독이 초대 사령탑을 맡았고, 2025년부터 이호준 감독이 지휘봉을 잡고 있습니다. 2013년 1군 데뷔 이후 8년 만인 2020년에 감격의 우승을 차지했습니다. 대표적인 선수는 손아섭, 박건우, 이용찬, 구창모 등이 있습니다.

키움 히어로즈

2008년 해체한 현대 유니콘스를 인수해 서울 히어로즈 야구단이라는 이름으로 창단. 국내 프로야구 역사상 처음으로 모기업 없이 순수 야구단만으로 운영되고 있는 팀입니다. 메인 스폰서의 이름을 따 우리 히어로즈, 넥센 히어로즈, 키움 히어로즈로 구단명이 바뀌었지요. 연고지는 서울이며 홈구장은 국내 유일의 돔 구장인 고척스카이돔입니다. 메이저리거 강정호, 이정후를 배출했습니다.

야구 용어

굿바이 홈런(Good-bye homerun) 마지막 말 공격 때 승패를 가르는 홈런.

굿바이 히트(Good-bye hit) 마지막 말 공격 때 승패를 가르는 득점 안타.

그라운드 볼(Ground ball) 땅볼. 땅에 구르거나 또는 낮게 튀어 올랐다 굴러가는 타구를 말합니다.

더그아웃(Dugout) 경기하는 선수를 포함해 유니폼을 입은 선수와 팀의 일원이 경기장에서 경기하지 않을 때 들어가 있어야 하는 시설. 벤치(Bench)라고도 합니다.

더블 헤더(Double header) 한 팀이 하루에 같은 상대와 연속으로 두 번 경기를 하는 것.

더블 플레이(Double play) 수비 팀이 공격 팀 선수 2명을 한 번에 아웃시키는 것. 병살이라고도 합니다.

라인 드라이브(Line drive) 타구가 땅에 닿지 않고 일직선으로 날카롭게 날아가는 것.

러너(Runner) 루를 향해 달려가는 공격 팀의 선수. 주자라고도 합니다.

런 다운(Run down) 루와 루 사이에서 주자를 아웃시키려는 수비 행위를 말합니다.

리터치(Retouch) 주자가 규칙에 따라서 루로 돌아가는 행위를 말합니다.

릴리버(Reliever) 구원 투수. 릴리프 피처라고도 합니다. 선발 투수를 대신해서 경기하는 투수를 말합니다.

마운드(Mound) 다이아몬드 모양의 내야 안에서 투수가 서 있는 곳. 피칭 마운드라고도 합니다.

보크(Balk) 주자가 루에 있을 때 투수가 저지르는 투구 반칙 행위입니다. 이때 모든 주자는 1루씩 진루할 수 있습니다.

배터(Batter) 타자. 타석에 들어서서 공격을 하는 선수입니다.

배터리(Battery) 투수와 포수를 함께 부르는 용어.

배터스 박스(Batter's box) 타석. 타자가 타격을 할 때 서는 곳.

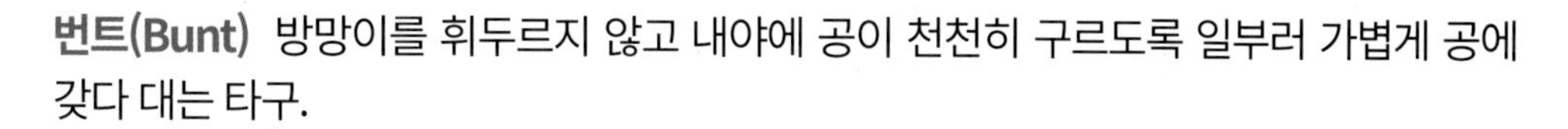

번트(Bunt) 방망이를 휘두르지 않고 내야에 공이 천천히 구르도록 일부러 가볍게 공에 갖다 대는 타구.

베이스(Base) 주자가 득점하기 위해 닿아야 하는 4개의 지점을 말합니다.

베이스 온 볼스(Base on balls) 투구 4개가 스트라이크 존을 통과하지 않았을 때 타자가 1루에 진루하는 것입니다. 볼넷이라고도 합니다.

볼(Ball) 스트라이크 존을 통과하지 않은 공을 타자가 치지 않은 것입니다.

서스펜디드 게임(Suspended game) 일시정지 경기. 다음 날 끝마치기로 하고 주심이 종료를 선언한 경기를 말합니다.

세이프(Safe) 주자가 루를 향해 달려갔을 때 주자가 루를 차지했음을 알리는 심판의 선언.

세트 포지션(Set position) 투수가 타자를 향해 공을 던질 때 취하는 자세의 하나. 한 쪽 발을 투수판에 대고 다른 쪽 발은 앞으로 내민 상태에서 공을 두 손으로 몸 앞쪽에서 쥐고 1초 이상 정지해 있는 것을 말합니다. 베이스에 주자가 있을 경우에 많이 하는 투구 자세입니다.

스코어링 포지션(Scoring position) 주자가 후속 타자의 단타만으로도 득점이 가능한 베이스에 나가 있는 것. 흔히 2루와 3루에 주자가 있는 상황을 말합니다.

스퀴즈 플레이(Squeeze play) 주자가 3루에 있을 때 공격 팀이 번트로 득점하는 것을 말합니다.

스트라이크(Strike) 투수가 던진 공을 타자가 쳤지만 방망이에 맞지 않았을 때나 공이 스트라이크 존을 통과했을 때, 노 스트라이크나 원 스트라이크인 상황에서 타자가 친 공이 파울 볼이 되었을 때 등을 말합니다.

스트라이크 존(Strike zone) 타자의 어깨와 유니폼 바지 벨트 사이의 중간 지점을 시작으로 무릎 아랫부분까지의 공간. 스트라이크 존은 타자가 공을 칠 때 취하는 자세로 결정됩니다.

아웃 필더(Out fielder) 외야수. 외야에서 수비를 맡는 선수입니다.

어필(Appeal) 상대 팀의 규칙 위반을 지적해 심판에게 아웃을 요청하는 행위.

오버슬라이드(Overslide) 공격 팀 선수가 슬라이딩을 하다가 루에서 떨어져 아웃 당할 우려가 있을 때를 말합니다. 오버슬라이딩(Oversliding)이라고도 합니다.

오펜스(Offense) 공격 중인 팀 또는 그 선수.

와인드업 포지션(Wind-up position) 세트 포지션과 함께 두 가지 정규 투구 자세 중 하나입니다.

와일드 피치(Wild pitch) 폭구. 포수가 처리할 수 없을 정도로 높거나 낮은 공을 말합니다.

이닝(Inning) 경기의 구분. 회(回)라고도 합니다. 1이닝은 초·말로 나뉘며, 각 팀이 공격과 수비를 교대로 합니다. 이에 따라 한 팀의 공격은 2분의 1이닝이 됩니다. 수비하는 팀은 공격 팀을 세 번 아웃시켜야 다음 이닝으로 넘어갑니다.

인사이드 더 파크 홈런(Inside the park homerun) 타자가 담장을 넘어가지 않은 타구를 날리고 야수 실책 없이 1루와 2루, 3루를 거쳐 홈 플레이트를 밟아 득점하는 기록으로, 홈런과 똑같이 취급됩니다. 그라운드 홈런, 러닝 홈런이라고도 부르는데, 러닝 홈런은 일본식 표기입니다.

인터피어런스(Interference) 공격 팀이나 수비 팀의 선수가 플레이를 하려는 야수를 방해하거나 가로막는 행위입니다.

인필더(Infielder) 내야수. 수비 위치가 내야에 있는 야수를 말합니다.

캐처(Catcher) 포수. 본루의 뒤쪽에 자리 잡은 야수입니다.

캐처스 박스(Catcher's box) 투수가 투구할 때까지 포수가 있어야 할 장소.

캐치(Catch) 야수가 날아온 공을 손 또는 글러브로 확실하게 받아 움켜쥐는 것.

코치(Coach) 베이스 코치의 임무를 담당할 뿐 아니라 감독이 지시하는 직무를 수행하기 위해 감독이 지명한 사람입니다.

콜드 게임(Called game) 어떤 이유로든 주심이 종료를 선언한 게임.

태그(Tag) 야수가 공을 잡고 그 공이나 공을 잡은 손, 글러브를 루에 대는 행위 또는 주자에게 대는 행위를 말합니다.

트리플 플레이(Triple play) 수비 팀이 3명의 공격 팀 선수를 한 번에 아웃시키는 플레이입니다.

파울 볼(Foul ball) 타자가 쳐서 파울 지역에 떨어진 공을 말합니다.

페어 볼(Fair ball) 타자가 쳐서 페어 지역 안에 멈춘 공을 말합니다.

포피티드 게임(Forfeited game) 한쪽 팀의 규칙 위반으로 인해 주심이 경기 종료를 선언하고, 잘못이 없는 팀에 9:0으로 승리가 주어지는 게임. 몰수 경기라고도 합니다.

풀 카운트(Full count) 투 스트라이크에 스리 볼일 경우를 말합니다. 다음 공이 볼이 되면 출루하고, 스트라이크가 하나 더 나오면 아웃이 됩니다.

플라이 볼(Fly ball) 공중에 높이 뜬 타구. 뜬공이라고도 합니다.

피처(Pitcher) 투수. 타자에게 공을 던지는 선수.

피처스 피버트 풋(Pitcher's pivot foot) 투수가 투구할 때 투수판에 대고 있는 발을 말합니다.

피치(Pitch) 투수가 타자에게 공을 던지는 것을 말합니다.

핀치 러너(Pinch runner) 대주자. 득점 찬스에서 기존 주자 대신 베이스에 나가는 주자.

핀치 히터(Pinch hitter) 대타. 득점 찬스에서 기존 타자 대신 타석에 들어서는 타자.

필더스 초이스(Fielder's choice) 야수 선택. 야수가 1루에서 타자 주자를 아웃시키는 대신, 앞의 주자를 아웃시키려고 다른 루에 송구하는 행위를 말합니다.

홈 팀(Home team) 팀이 자기 구장에서 경기를 할 경우 자기 팀을 가리키는 용어. 홈 팀의 상대 팀을 어웨이 팀(Away team) 또는 비지팅 팀(Visting team)이라 부릅니다.

1 유격수를 뜻하는 쇼트 스톱이라는 말은 무엇 때문에 생겼을까요?

2 우리나라에서 프로야구가 시작된 해는 언제일까요?

3 한국인으로서 최초로 메이저리그에 진출한 박찬호 선수는 몇 년에 어느 구단으로 입단했을까요?

4 우리나라에 야구를 처음으로 소개한 사람은 누구이고, 언제 소개했을까요?

5 야구공의 솔기는 모두 몇 개일까요?

6 야구 글러브의 모양은 선수의 포지션에 따라 조금씩 달라요. 글러브 가운데 포수와 1루수가 쓰는 글러브를 무엇이라고 부를까요?

7 야구 선수들이 경기할 때 눈 밑에 눈썹 같은 검은 선을 그리거나 붙이는 이유는 무엇일까요?

8 한국 프로야구 최초로 4연타석 홈런을 기록한 선수는 누구일까요?

9 노 히트 노 런(no hit no run)은 어떤 경기를 말하나요?

10 제27회 세계야구선수권대회 결승전에서 일본을 물리치고 우리나라 우승의 디딤돌을 만든 '개구리 번트'의 주인공은 누구일까요?

11 리틀 야구의 경기는 몇 회까지일까요?

12 클린업 트리오는 몇 번 타자들을 합쳐서 부르는 말일까요?

정답

1 1897년 미국 프로야구 마이너리그 경기에서 눈부신 활약을 한 헨리 스톱(Henry Stop)의 작은 키와 이름을 본떠서 쇼트 스톱(short stop)이라 불러요.

2 1982년

3 1994년 LA 다저스(로스앤젤레스 다저스)

4 1905년 미국인 선교사 필립 질레트

5 108개

6 미트

7 검은색은 빛을 흡수하는 성격이 있어서, 경기 중 눈이 부시는 것을 막기 위한 것이에요.

8 박경완 선수

9 투수가 경기가 끝날 때까지 단 한 개의 안타와 점수도 내주지 않고 이기는 경기

10 김재박

11 6회

12 3번 타자, 4번 타자, 5번 타자

* 이 책에 나온 기록들은 2024년 11월까지의 기록을 기준으로 하였습니다.

상수리 호기심 도서관 ⑰

글 | 김동훈
그림 | 최일룡
사진 | 표명중 · ©Shutterstock

개정판 1쇄 발행 | 2025년 1월 17일

펴낸이 | 신난향
편집위원 | 박영배
펴낸곳 | (주)맥스교육(상수리)
출판등록 | 2011년 8월 17일(제2022-000038호)
주소 | 경기도 성남시 분당구 운중로 142, 903호(운중동, 판교메디칼타워)
전화 | 02-589-5133 **팩스** | 02-589-5088
블로그 | blog.naver.com/sangsuri_i **홈페이지** | www.maksmedia.co.kr

편집 | 김소연 · 주수련
디자인 | 박지영
마케팅 | 배정아
경영지원 | 박윤정

ISBN 979-11-5571-996-1 73690
979-11-5571-997-8 74690(세트)

* 본 도서는 『천하무적 어린이 야구왕』의 개정판입니다.